인도 비즈니스 길라잡이,

인도 비지니스 성공을 위한 필수가이드

It's ALL about INDIA New Business!

Daniel Yi

서문:

인도 비즈니스 길라잡이, 인도 비지니스 성공을 위한 필수가이드

It's ALL about INDIA New Business!

인도는 오늘날 세계에서 가장 역동적인 경제 중 하나로, 그 잠재력은 무궁무진합니다. 약 14억 명에 달하는 인구와 급속히 성장하는 중산층, 그리고 활발한 소비 시장은 인도를 글로벌 비즈니스의 주요 무대로 만들어 가고 있습니다. 이러한 매력적인 시장에 진출하고자 하는 기업들에게, 인도의 비즈니스 환경을 깊이 이해하고 철저히 준비하는 것은 필수적입니다.

이 안내서는 인도 시장에 처음 발을 들이는 회사 고객들을 위해 설계되었습니다. 인도 비즈니스의 전반적인 환경부터 시작하여, 법적 요건, 재무 관리, 인재 관리, 마케팅 전략, 그리고 부동산 투자에 이르기까지 포괄적인 정보를 제공합니다. 각 장에서는 구체적인 실천 방법과 함께 현지에서 성공적으로 비즈니스를 운영하기 위한 핵심 요소들을 다루고 있습니다.

1. 인도 비즈니스 환경 이해에서는 인도의 경제 개요와 성장률, 주요 산업 동향, 그리고 정부의 경제 정책과 지원 프로그램에 대해 설명합니다. 인도는 세계에서 가장 빠르게 성장하는 경제 중 하나로, 다양한 산업 분야에서 기회를 제공하고 있습니다. 이 장에서는 경제 환경을 이해하고, 이를 바탕으로 성공적인 진출 전략을

세우는 방법을 다룹니다.

2. 비즈니스 아이디어 **선택**에서는 인도 시장 조사를 통해 성장 가능성이 높은 산업 분야를 선택하는 방법을 제시합니다. IT, 제조업, 헬스케어, 소비재 등 다양한 산업에서의 기회와 현지 문화 및 관행을 고려한 비즈니스 전략을 수립하는 방법을 설명합니다.

3. **법인 설립 및 등록**에서는 회사 유형 선택, 등록 절차, 필요한 문서와 비용 등에 대해 상세히 안내합니다. 인도에서 법인을 설립하는 과정은 복잡할 수 있지만, 이 장에서는 단계별 가이드를 통해 이를 쉽게 이해할 수 있도록 도와줍니다.

4. **재무 관리**에서는 자금 조달 방법, 은행 계좌 개설 절차, 세금 신고 및 회계 관리 방법 등을 다룹니다. 인도의 금융 시스템과 세법을 이해하고, 이를 기반으로 안정적인 재무 관리를 하는 방법을 설명합니다.

5. **직원 고용 및 관리**에서는 인력 확보, 근로 계약 및 규정 준수, 보상 및 혜택 설계 등에 대해 설명합니다. 인도에서 우수한 인재를 채용하고 유지하기 위한 전략과 법적 요구사항을 준수하는 방법을 다룹니다.

6. **마케팅 및 판매 전략**에서는 디지털 마케팅, 현지 시장 진입 전략, 제품/서비스 홍보 방법 등을 설명합니다. 인도 시장에서 효과적인 마케팅과 판매 전략을 수립하고 실행하는 방법을 다룹니다.

7. **인도 부동산**에서는 부동산 시장 개관, 토지 분양 및 매매 절차, 공장 인수, 상업용 및 주거용 부동산 등의 내용을 다룹니다. 인도

에서 부동산 투자를 고려하는 기업들에게 필요한 정보를 제공하고, 법적 규제와 투자 전략을 설명합니다.

이 책은 인도 시장에 진출하고자 하는 모든 기업들에게 귀중한 지침서가 될 것입니다. 각 장에서 제공하는 정보와 실천 방법을 통해 인도에서의 비즈니스 성공을 위한 준비를 철저히 할 수 있습니다. 인도 시장의 잠재력을 최대한 활용하고, 성공적인 비즈니스를 운영하기 위해 이 안내서를 적극 활용하시기 바랍니다.

목차

인도 비즈니스 길라잡이, 인도 비지니스 성공을 위한 필수가이드

서문

Ⅰ. 인도 비지니스

Ⅰ. 인도 비지니스

1. 인도 비즈니스 환경 이해

인도의 경제 개요

인도 GDP 및 성장률 분석

인도는 세계에서 가장 빠르게 성장하는 경제 중 하나로, 경제 규모는 명목 GDP 기준으로 세계 5위에 달합니다. 인도 경제는 지난 몇 년간 평균 6-7%의 높은 성장률을 기록하며 지속적인 성장을 이루어왔습니다. 2020년대 초반 COVID-19 팬데믹의 영향을 받았지만, 2021년 이후 경제 회복세를 보이며 다시 빠른 성장 궤도에 올랐습니다. 2021년에는 GDP 성장률이 약 8.7%로 급반등하였고, 2022년에는 약 7.4%를 기록하며 회복세를 이어갔습니다.

인도의 경제 성장은 서비스업, 제조업, 농업 등 다양한 산업 분야에서 이루어지고 있습니다. 특히 정보기술(IT) 및 소프트웨어 서비스 부문은 인도 경제 성장의 주요 동력 중 하나입니다. 방갈로르, 하이데라바드 등 IT 허브 도시들은 글로벌 IT 서비스 및 소프트웨어 개발의 중심지로 자리잡고 있습니다. 2023년에는 디지털 경제 분야의 급성장으로 핀테크, 전자상거래, 디지털 인프라 확충이 경제 성장에 큰 기여를 했습니다.

India's rank in GDP*

Rank	Country	GDP (in U.S. dollars)	Annual Growth rate
1	United States of America	28.78 trillion	2.7%
2	China	18.53 trillion	4.6%
3	Germany	4.59 trillion	0.2%
4	Japan	4.11 trillion	0.9%
5	India	3.94 trillion	6.8%

Data and rankings as per International Monetary Fund (IMF)

Historical GDP and growth rate of India

Financial Year	GDP	GDP Per Capita (Nominal)	GDP Growth
2024 (Q3,FY2024)	$4,112.00B*	$2,845	8.4%
2023	$3,737.00B	$2,610	7.2%
2022	$3,385.09B	$2,389	7.00%
2021	$3,150.31B	$2,238	9.05%
2020	$2,671.60B	$1,913	-5.83%
2019	$2,835.61B	$2,050	3.87%
2018	$2,702.93B	$1,974	6.45%
2017	$2,651.47B	$1,958	6.80%
2016	$2,294.80B	$1,714	8.26%
2015	$2,103.59B	$1,590	8.00%
2014	$2,039.13B	$1,560	7.41%
2013	$1,856.72B	$1,438	6.39%
2012	$1,827.64B	$1,434	5.46%
2011	$1,823.05B	$1,450	5.24%
2010	$1,675.62B	$1,351	8.50%

*As per government of India

인도의 GDP 성장은 젊은 인구 구조, 급격한 도시화, 인프라 확충, 디지털 혁신 등의 요인에 힘입어 지속될 것으로 예상됩니다. 인도의 중산층은 빠르게 성장하고 있으며, 이로 인해 소비 시장이 확대되고 있습니다. 또한 인도 정부는 경제 성장을 촉진하기 위해 다양한 경제 개혁과 인프라 프로젝트를 추진하고 있습니다. 2024년에도 정부는 도로, 철도, 항만 등 대규모 인프라 프로젝트를 통해 경제 성장을 지원하고 있으며, 지속적인 정책적 지원과 경제 개혁을 통해 안정적인 성장세를 유지할 것으로 보입니다.

이와 함께 인플레이션 관리와 물가 안정화 정책도 중요한 역할을 하고 있습니다. 2022년부터 글로벌 공급망 문제와 원자재 가격 상승으로 인한 인플레이션을 효과적으로 관리하여 경제 안정성을 확보하고 있습니다.

결론적으로, 인도 경제는 다방면에서 지속 가능한 성장 동력을 유지하며, 디지털 경제의 성장과 인프라 확충을 통해 세계 경제에서의 중요성을 더욱 강화해 나가고 있습니다.

주요 산업 및 경제 동향

인도의 주요 산업으로는 IT 및 소프트웨어 서비스, 제조업, 농업, 헬스케어, 금융 서비스 등이 있습니다. IT 산업은 인도의 대표적인 성장 동력으로, 인도 경제에 큰 기여를 하고 있습니다. 특히 방갈로르와 하이데라바드는 글로벌 IT 기업들의 개발 센터와 연구소가 집중된 지역입니다.

제조업은 인도의 또 다른 주요 산업으로, 특히 자동차, 화학, 철강, 전자제품 제조업이 발달해 있습니다. 첸나이, 푸네, 구자라트 등의 지역은 자동차 제조업의 중심지로, 다수의 글로벌 자동차 제조업체들이 생산 공장을 운영하고 있습니다.

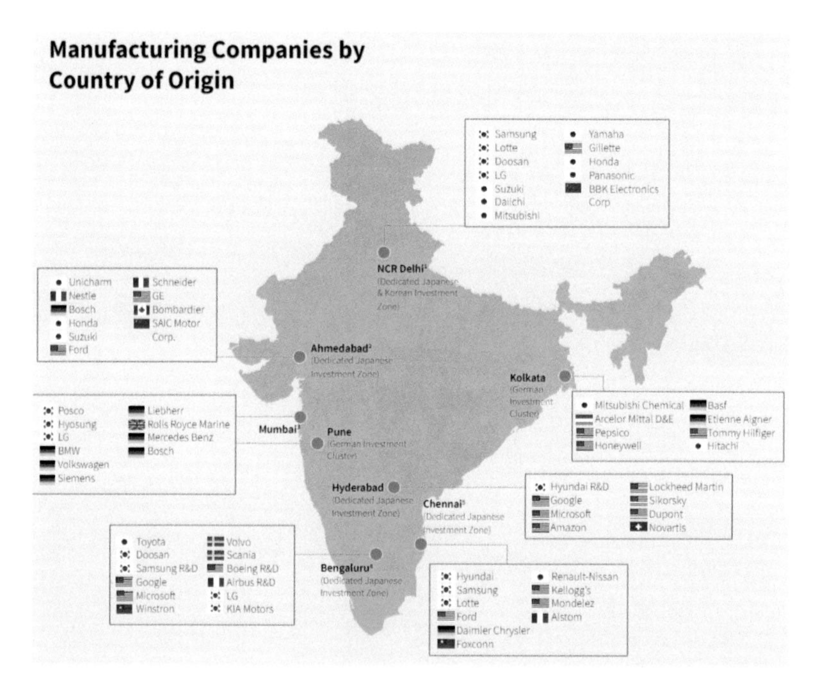

농업은 여전히 인도 경제의 중요한 부분을 차지하고 있으며, 인도 인구의 약 60%가 농업에 종사하고 있습니다. 주요 농산물로는 쌀, 밀, 면화, 설탕 등이 있으며, 인도는 세계 최대의 쌀과 차 수출국 중 하나입니다.

헬스케어 산업은 인구 증가와 중산층 확대, 건강에 대한 관심 증가로 인해 빠르게 성장하고 있습니다. 인도는 제네릭 의약품 생산에서 세계 선두를 달리고 있으며, 의료 관광의 중심지로도 부상하고 있습니다.

금융 서비스 산업도 인도 경제에서 중요한 역할을 하고 있으며, 인도의 금융 시장은 지속적으로 확대되고 있습니다. 디지털 금융 서비스와 핀테크 산업이 급성장하고 있으며, 이는 금융 서비스 접근성을 높이는 데 기여하고 있습니다.

인도의 경제 정책 및 정부 지원 프로그램

인도 정부는 경제 성장을 촉진하고 외국인 투자를 유치하기 위해 다양한 경제 정책과 지원 프로그램을 시행하고 있습니다. 주요 경제 정책으로는 '메이크 인 인디아'(Make in India), '디지털 인디아'(Digital India), '스마트 시티 미션'(Smart Cities Mission) 등이 있습니다.

메이크 인 인디아는 제조업을 활성화하고 외국인 직접 투자를 유치하기 위한 정책입니다. 이 정책은 2014년 나렌드라 모디 총리의 주도로 시작되었으며, 자동차, 전자제품, 화학, 방위산업 등 25개 주요 산업 분야에서 제조업을 육성하고 있습니다. 이를 통해 인도는 글로벌 제조업 허브로 부상하고 있으며, 다수의 글로벌 기업들이 인도에 생산 시설을 설립하고 있습니다.

메이크 인 인디아 공식홈페이지 https://www.makeinindia.com/

HOME SECTORS INVESTOR DESK OPPORTUNITIES POLICIES EASE OF DOING BUSINESS LISTICLES FAQs CONTACT

Latest Updates

Overall Coal Stock Reaches 88.01 MT Registering an Increase of 24.7%

Major step of MoPSW towards Public-Private Partnership with INR 4,243.64 crore Mega Terminal Project at Kandla, Gujarat

Chandrayaan-3 has proved India's capability for cost-effective Space missions

Pradhan Mantri Jan Dhan Yojana (PMJDY) - National Mission for Financial Inclusion, completes nine years of successful implementation

SOP signed for exchange of White Shipping Information

디지털 인디아는 디지털 인프라를 강화하고 디지털 경제를 촉진하기 위한 정책입니다. 이 정책은 인터넷 보급률을 높이고, 디지털 금융 서비스를 확산시키며, 전자 정부(e-Government)를 구축하는 것을 목표로 합니다. 이를 통해 인도는 디지털 혁신과 스타트업 생태계를 발전시키고 있습니다.

디지털 인디아 공식홈페이지 https://www.digitalindia.gov.in/

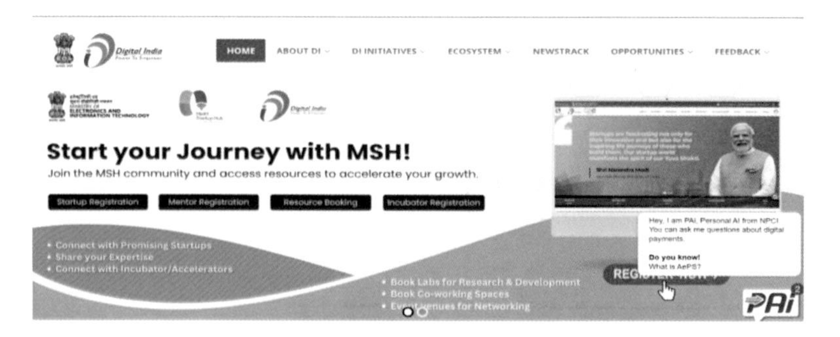

스마트 시티 미션은 인도의 도시화를 촉진하고 도시 인프라를 현대화하기 위한 정책입니다. 이 정책은 100개의 스마트 시티를 구축하는 것을 목표로 하며, 스마트 교통, 스마트 에너지, 스마트 주거 등의 분야에서 첨단 기술을 도입하고 있습니다. 이를 통해 인도는 지속 가능한 도시 발전을 이루고 있습니다.

스마트 시티 미션 공식홈페이지 https://smartcities.gov.in/

법적 요건 및 규정

사업 운영을 위한 필수 법적 요건

인도에서 비즈니스를 운영하기 위해서는 다양한 법적 요건을 충족해야 합니다. 주요 법적 요건으로는 회사법, 노동법, 환경법, 지식재산권법 등이 있습니다.

회사법: 인도에서 회사를 설립하고 운영하기 위해서는 인도 회사법(Companies Act, 2013)을 준수해야 합니다. 이 법은 회사 설립, 등록, 운영, 해산에 관한 규정을 포함하고 있으며, 모든 회사는 상업 활동을 시작하기 전에 회사 등록을 완료해야 합니다.

노동법: 인도 노동법은 고용주가 직원들에게 최소한의 근로 조건을 제공하도록 규정하고 있습니다. 주요 노동법으로는 최저임금법, 근로시간법, 산업분쟁법, 근로자의 재고용 보호법 등이 있으며, 고용주는 이를 준수해야 합니다.

환경법: 인도의 환경법은 사업 활동에서 발생하는 오염을 최소화하고 환경 보호를 위해 규제하고 있습니다. 주요 환경법으로는 환경 보호법(Environment Protection Act, 1986), 공기 오염 방지법(Air Prevention and Control of Pollution Act, 1981), 수질 오염 방지법(Water Prevention and Control of Pollution Act, 1974) 등이 있습니다.

지식재산권법: 인도는 특허, 상표, 저작권, 디자인 등 다양한 지식재산권 보호 법규를 갖추고 있습니다. 인도에서 비즈니스를 운영할 때는 지식재산권을 보호하고, 타인의 지식재산권을 침해하지 않도록 주의해야 합니다.

주요 비즈니스 규정 및 컴플라이언스

인도에서 비즈니스를 운영하기 위해서는 다양한 규제와 컴플라이언스를 준수해야 합니다. 주요 비즈니스 규정으로는 세금 규정, 금융 규제, 무역 규제 등이 있습니다.

세금 규정: 인도에서 사업을 운영하는 모든 기업은 중앙 정부와 주 정부에 세금을 납부해야 합니다. 주요 세금으로는 상품 및 서비스세(GST), 법인세, 소득세, 지방세 등이 있습니다. 사업자는 정기적으로 세금 신고를 하고, 납세 기한을 준수해야 합니다.

금융 규제: 인도의 금융 규제는 중앙은행인 인도 중앙은행(RBI)에 의해 관리되며, 금융 서비스 제공자와 은행은 RBI의 규제를 준수해야 합니다. 이는 금융 안정성을 유지하고, 금융 시장의 투명성을 확보하기 위한 것입니다.

무역 규제: 인도에서 수출입 활동을 하려면 무역 규정을 준수해야 합니다. 인도의 무역 규정은 관세, 수입 허가, 수출 금지 품목 등을 포함하고 있으며, 인도 상무부(DGFT)에서 관리하고 있습니다.

세금 및 회계 관련 사항

인도 세법 개요

인도에서 사업을 운영할 때는 다양한 세금을 납부해야 합니다. 인도의 세법은 중앙 정부와 주 정부에 의해 관리되며, 주요 세금으로는 상품 및 서비스세(GST), 법인세, 소득세, 지방세 등이 있습니다.

상품 및 서비스세(GST): GST는 2017년에 도입된 통합 간접세로, 중앙 정부와 주 정부가 부과하는 모든 간접세를 통합하여 단일 세금으로 만든 것입니다. GST는 제품과 서비스 거래 시 부과되며, 중앙 GST(CGST)와 주 GST(SGST)로 나뉩니다. 또한 주 간 거래에는 통합 GST(IGST)가 적용됩니다.

법인세: 법인세는 회사의 순이익에 대해 부과되는 세금입니다. 인도의 법인세율은 회사의 규모와 수익에 따라 다르며, 일반적으로 25%에서 30% 사이입니다. 중소기업(SME)과 스타트업에 대해서는 특별 세율이 적용될 수 있습니다.

소득세: 소득세는 개인의 소득에 대해 부과되는 세금입니다. 개인 사업자와 파트너십 형태의 비즈니스는 개인 소득세를 납부해야 합니다. 인도의 소득세율은 소득 수준에 따라 누진세율 구조를 가지고 있으며, 고소득자일수록 높은 세율이 적용됩니다.

지방세: 지방 정부는 추가로 지방세를 부과할 수 있으며, 이는 주별로 다를 수 있습니다. 지방세로는 부동산세, 차량세, 전력세 등이 있으며, 지방 자치 단체에 따라 다양한 추가 세금이 부과될 수 있습니다. 사업자는 운영하는 지역의 지방세 규정을 숙지하고 이를 준수해야 합니다.

인도세금구조

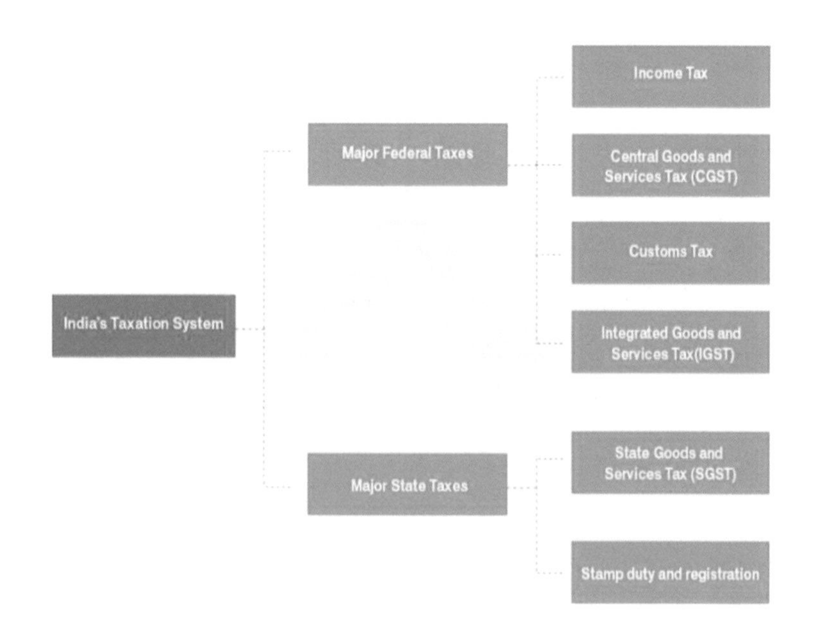

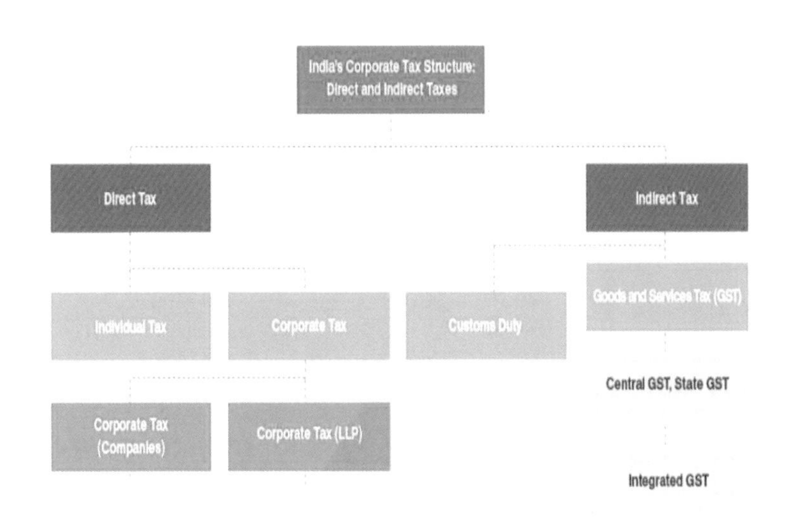

주요 세금 종류: GST, 법인세, 소득세 등

GST (Goods and Services Tax): GST는 인도의 중앙 정부와 주 정부가 부과하는 모든 간접세를 통합한 세금입니다. GST는 제품과 서비스의 공급 시 부과되며, 세금 체계는 중앙 GST(CGST), 주 GST(SGST), 통합 GST(IGST)로 구성됩니다.

CGST: 중앙 정부가 부과하는 GST.

SGST: 주 정부가 부과하는 GST.

IGST: 주 간 거래 시 부과되는 GST.

GST는 투명하고 효율적인 세금 징수를 가능하게 하며, 비즈니스 환경을 단순화합니다. GST는 일반적으로 0%, 5%, 12%, 18%, 28%의 세율로 분류되며, 상품과 서비스의 종류에 따라 다른 세율이 적용됩니다.

법인세: 법인세는 기업의 순이익에 대해 부과되는 직접세입니다. 법인세율은 기업의 규모와 수익에 따라 다르며, 기본 세율은 대기업의 경우 약 30%, 중소기업의 경우 약 25%입니다. 정부는 특정 조건을 충족하는 스타트업이나 중소기업에 대해 감면 혜택을 제공할 수 있습니다.

법인세 납부는 분기별로 이루어지며, 매 분기마다 예상 세금을 납부하는 선납제도를 운영하고 있습니다. 또한, 연말에는 최종 세금 신고를 통해 정산하게 됩니다.

소득세: 소득세는 개인의 소득에 부과되는 세금입니다. 개인 사업자와 파트너십 형태의 비즈니스는 개인 소득세를 납부해야 합니다. 소득세는 누진세율로 부과되며, 소득이 높을수록 높은 세율이 적용됩니다.

인도의 소득세율은 소득 수준에 따라 구간별로 다르며, 각 구간에 따라 차등적으로 세율이 적용됩니다.

인도 세율요약 도표(23-24년 회계연도기준)

Tax		Standard Rate	Variation	Abbreviation
Corporate Income tax		15% to 40%	15-40%	CIT
Goods and Services Tax		0%, 5%, 12%, 18%, 28%	0-28%	GST
Individual Income Tax		0% to 30%	0- 30%	IIT
Minimum Alternate Tax		15%		MAT
Capital Gains Tax	Short term capital gains	15%	0-40%	
	Long term capital gains	10%, 20%	10%,20%	
Cryptocurrency Tax		30%	30%	
Withholding Tax		10%	10%	

회계 및 재무 보고 기준

인도에서 사업을 운영하기 위해서는 인도 회계 기준(Ind AS)을 준수해야 합니다. Ind AS는 국제 재무 보고 기준(IFRS)을 기반으로 하며, 공정한 재무 보고와 투명성을 보장합니다. 주요 회계 및 재무 보고 기준은 다음과 같습니다.

회계 연도 및 재무 보고: 인도의 회계 연도는 4월 1일부터 다음 해 3월 31일까지입니다. 모든 기업은 매년 재무 제표를 작성하고,

이를 감사 받아야 합니다. 재무 제표에는 대차대조표, 손익계산서, 현금흐름표, 자본변동표가 포함됩니다.

재무 제표 작성: 모든 기업은 정확한 회계 장부를 유지하고, 재무 제표를 작성해야 합니다. 재무 제표는 공정하고 정확하게 기업의 재무 상태를 반영해야 합니다. 이는 투자자, 채권자, 규제 당국이 기업의 재무 상태를 평가하는 데 중요한 자료가 됩니다.

감사: 인도 회사법에 따라 모든 회사는 독립적인 공인 회계사(CA)에 의해 연간 재무제표를 감사 받아야 합니다. 감사인은 재무제표의 정확성과 완전성을 확인하고, 감사 보고서를 제출합니다. 감사 보고서는 기업의 재무 상태와 회계 관행에 대한 신뢰성을 보장합니다.

내부 통제 및 준법 감시: 기업은 내부 통제 시스템을 구축하여 재무 보고의 정확성을 보장하고, 법적 규정을 준수해야 합니다. 내부 통제 시스템은 재무 정보의 무결성, 자산 보호, 법규 준수 등을 보장하기 위한 절차와 정책을 포함합니다.

세무 보고: 기업은 정기적으로 세무 보고서를 제출하고, 세금을 납부해야 합니다. 주요 세무 보고서로는 GST 신고서, 법인세 신고서, 소득세 신고서 등이 있으며, 각 세금의 신고 기한을 준수해야 합니다.

재무 관리: 효과적인 재무 관리는 기업의 지속 가능한 성장을 위해 필수적입니다. 이는 자금 조달, 투자 관리, 비용 절감, 현금 흐름 관리 등을 포함하며, 재무 상태를 지속적으로 모니터링하고 조

정해야 합니다.

결론

인도에서 비즈니스를 시작하고 운영하기 위해서는 인도 경제의 전반적인 이해와 법적 요건, 세금 및 회계 관련 사항을 철저히 숙지해야 합니다. 인도의 다채로운 경제 환경과 복잡한 규제 체계에 적응하기 위해서는 현지 시장의 특성을 잘 파악하고, 효과적인 비즈니스 전략을 수립하는 것이 중요합니다. 또한, 철저한 컴플라이언스와 투명한 재무 관리를 통해 신뢰를 구축하고, 지속 가능한 성장을 이룰 수 있습니다.

2. 비즈니스 아이디어 선택

인도 시장 조사

시장 규모 및 트렌드 분석

시장 규모: 인도는 세계에서 두 번째로 인구가 많은 국가로, 약 14억 명의 인구를 보유하고 있습니다. 이 거대한 인구는 다양한 시장 기회를 제공하며, 특히 중산층의 증가와 도시화가 가속화되면서 소비자 시장이 빠르게 성장하고 있습니다. 주요 시장 규모는 다음과 같습니다:

소비재 시장: 인도 소비재 시장은 2023년 기준 약 1,300억 달러에 달하며, 연평균 성장률이 10% 이상입니다.

IT 및 테크놀로지 시장: 인도 IT 시장은 약 2,000억 달러 규모로, 전 세계에서 가장 빠르게 성장하는 IT 산업 중 하나입니다.

헬스케어 및 제약 시장: 인도의 헬스케어 시장은 2023년 기준 약 160억 달러 규모로, 2025년까지 280억 달러에 이를 것으로 예상됩니다.

트렌드 분석:

디지털 전환: 인도는 급격한 디지털 전환을 겪고 있으며, 모바일 인터넷 사용자가 급증하고 있습니다. 이는 전자상거래, 핀테크, 온라인 교육 등 디지털 기반 산업의 성장으로 이어집니다.

지속 가능성: 환경 보호와 지속 가능성에 대한 관심이 증가하면서 친환경 제품과 서비스의 수요가 증가하고 있습니다.

건강 및 웰니스: 헬스케어 및 웰니스 제품에 대한 수요가 증가하고 있으며, 특히 자연 친화적인 건강 보조식품과 전통 의학에 대한 관심이 높아지고 있습니다.

<인도의 섹터별 FDI 순 유입액>

(단위: US$ 10억, %)

연번	분야	2021-22	2022-23	2023-24	총 누적액	비중
1	SERVICES SECTOR	7.1	8.7	5.2	108.0	16.2
2	COMPUTER SOFTWARE & HARDWARE	14.5	9.4	3.4	98.3	14.8
3	TRADING	4.5	4.8	2.7	42.2	6.3
4	TELECOMMUNICATIONS	0.7	0.7	0.3	39.3	5.9
5	AUTOMOBILE INDUSTRY	7.0	1.9	0.9	35.7	5.4
6	CONSTRUCTION (INFRASTRUCTURAL) ACTIVITIES	3.3	1.7	3.8	33.5	5.0
7	CONSTRUCTION DEVELOPMENT	0.1	0.2	0.2	26.5	4.0
8	DRUGS & PHARMACEUTICALS	1.4	2.1	0.9	22.4	3.4
9	CHEMICALS (Other than FERTILIZERS)	1.0	1.9	0.8	22.1	3.3
10	POWER	0.5	0.7	1.6	18.2	2.7
	합계	**58.8**	**46.0**	**32.0**	**666.5**	-

[자료: DPIIT(Department for Promotion of Industry and Internal Trade)]

경쟁사 분석

경쟁 환경:

국내 기업: 인도의 대기업 및 중소기업이 다양한 산업에서 경쟁을 벌이고 있습니다. 타타 그룹, 릴라이언스 인더스트리, 위프로 등 주요 대기업은 강력한 시장 지배력을 가지고 있습니다.

외국 기업: 다국적 기업들도 인도 시장에 적극적으로 진출하고 있으며, 특히 IT, 제조, 소비재 등에서 강력한 경쟁력을 보이고 있습니다.

경쟁력 평가:

제품 및 서비스 품질: 경쟁사들이 제공하는 제품 및 서비스의 품질과 특징을 분석하여 자사 제품의 차별화 전략을 세워야 합니다.

가격 전략: 경쟁사들의 가격 전략을 분석하고, 가격 경쟁력 확보를 위한 방안을 모색해야 합니다.

유통 채널: 경쟁사들이 사용하는 유통 채널과 고객 접근 방식을 분석하여 효과적인 유통 전략을 수립해야 합니다.

고객 니즈 및 소비자 행동 조사

고객 니즈 파악:

소득 수준 및 소비 패턴: 인도 소비자들의 소득 수준과 소비 패턴을 분석하여 타겟 시장을 명확히 해야 합니다. 중산층의 증가로 인해 중저가 제품과 고급 제품에 대한 수요가 모두 존재합니다.

지역별 차이: 인도는 지역별로 문화, 언어, 경제 수준이 크게 다르기 때문에, 각 지역별로 고객 니즈를 세분화하여 접근해야 합니다.

소비자 행동 조사:

온라인 구매 행동: 모바일과 인터넷 사용이 보편화됨에 따라, 온라인 구매가 증가하고 있습니다. 이는 전자상거래와 디지털 마케팅 전략의 중요성을 강조합니다.

브랜드 충성도: 인도 소비자들은 브랜드 충성도가 높은 편이며, 특히 신뢰할 수 있는 브랜드에 대한 선호도가 큽니다. 브랜드 이미지 구축이 중요합니다.

성장 가능성 있는 산업 분야

IT 및 테크놀로지

현황: 인도는 전 세계에서 가장 빠르게 성장하는 IT 산업을 보유하고 있으며, 방갈로르를 중심으로 많은 글로벌 IT 기업들이 진출해 있습니다. 인도의 IT 서비스 수출은 약 1500억 달러에 달하며, 이는 전 세계 시장에서 중요한 위치를 차지하고 있습니다.

성장 요인:

기술 인프라: 인도는 기술 인프라가 잘 구축되어 있으며, 다양한 정부의 디지털 인디아(Digital India) 정책이 이를 뒷받침하고 있습

니다.

인력: 인도는 우수한 IT 인력을 풍부하게 보유하고 있어, 기술 개발과 혁신에 유리한 환경을 제공합니다.

제조업

현황: 인도는 제조업에서도 큰 잠재력을 보유하고 있으며, '메이크 인 인디아(Make in India)' 캠페인을 통해 제조업 성장을 적극적으로 지원하고 있습니다. 자동차, 섬유, 전자 제품 등의 분야에서 많은 제조업체들이 활동하고 있습니다.

성장 요인:

노동력: 저렴하고 숙련된 노동력을 이용할 수 있습니다.

정부 지원: 제조업을 촉진하기 위한 다양한 정부 인센티브와 정책 지원이 있습니다.

헬스케어 및 제약

현황: 인도의 헬스케어 산업은 빠르게 성장하고 있으며, 제약 산업 또한 전 세계에서 중요한 위치를 차지하고 있습니다. 인도는 세계에서 가장 큰 제네릭 의약품 생산국 중 하나입니다.

성장 요인:

인구: 인구 증가와 함께 건강 관리에 대한 수요가 증가하고 있습니다.

정부 정책: 헬스케어 접근성을 높이기 위한 다양한 정부 정책과 프로그램이 있습니다.

소비재 및 리테일

현황: 소비재 시장은 인도의 중산층 확대와 함께 크게 성장하고 있으며, 리테일 부문도 빠르게 발전하고 있습니다. 전자상거래의 성장도 이 부문에 큰 영향을 미치고 있습니다.

성장 요인:

소득 증가: 중산층의 소득 증가로 인해 소비력이 높아지고 있습니다.

도시화: 도시화가 진행되면서 현대적 쇼핑 문화가 확산되고 있습니다.

성장 가능성 있는 산업 분야 SWOT 분석 도표

요소	강점 (Strengths)	약점 (Weaknesses)	기회 (Opportunities)	위협 (Threats)
IT 및 테크놀로지	- 세계에서 가장 빠르게 성장하는 IT 산업 - 우수한 IT 인력 풍부 - 기술 인프라 및 디지털 인디아 정책 지원	- 높은 경쟁과 인프라 한계 - 기술 격차 문제	- 정부의 디지털 인디아 정책 - 글로벌 IT 서비스 수출 증가 - 글로벌 IT 기업의 지속적 진출	- 사이버 보안 위협 증가 - 글로벌 경제 불확실성 - 기술 인프라의 지속적인 투자 필요
제조업	- 저렴하고 숙련된 노동력 - 정부의 다양한 정책 지원 - '메이크 인 인디아' 캠페인	- 인프라 부족과 복잡한 규제 - 품질 관리 문제 - 기술 혁신 부족	- 다양한 정부 인센티브 - 글로벌 제조업체의 투자 증가 - 자동화와 첨단 제조 기술 도입 - 내수 시장 확대	- 글로벌 공급망의 불안정성 - 환경 규제 강화 - 해외 시장의 경쟁 심화 - 국제 무역 규제
헬스케어 및 제약	- 빠르게 성장하는 헬스케어 산업 - 세계에서 중요한 위치의 제약 산업 - 인구 증가와 건강 관리 수요 증가	- 인프라 부족과 규제의 복잡성 - 품질 관리 문제 - 고비용 구조	- 정부의 헬스케어 접근성 정책 - 글로벌 제약 산업에서 중요한 위치 - 인구 고령화에 따른 헬스케어 수요 증가 - 제네릭 의약품 시장의 성장	- 가격 규제와 시장 접근 제한 - R&D 투자 부족 - 국제 규제의 강화 - 기술 혁신의 빠른 변화
소비재 및 리테일	- 중산층 확대와 소비력 향상 - 도시화와 현대적 쇼핑 문화 확산 - 전자상거래 성장	- 유통망의 한계 - 복잡한 규제 - 품질 관리 문제 - 유통 비용의 증가	- 전자상거래의 성장 - 현대적 쇼핑 문화 확산 - 신흥 시장에서의 성장 기회 - 디지털 채널을 통한 판매 증대	- 높은 경쟁과 가격 압박 - 변화하는 소비자 선호도 - 공급망의 불안정성 - 글로벌 경제 불확실성

인도 비즈니스 문화의 특성

관계 중심:

인도에서는 비즈니스 관계가 매우 중요하며, 신뢰와 장기적인 관계 구축이 핵심입니다. 개인적인 신뢰와 네트워킹이 비즈니스 성공의 중요한 요소입니다.

계층 구조:

인도 비즈니스 문화는 계층 구조가 뚜렷하며, 상급자의 결정이 중요한 역할을 합니다. 이를 이해하고 적절히 대처하는 것이 필요합니다.

비즈니스 의사소통 및 협상 스타일

의사소통 방식:

인도에서는 비공식적인 대화가 공식적인 비즈니스 회담만큼 중요할 수 있습니다. 대화의 흐름을 잘 이해하고, 비언어적 커뮤니케이션에도 주의를 기울여야 합니다.

협상 스타일:

인도에서의 협상은 종종 시간이 걸리며, 인내와 융통성이 필요합니다. 협상 과정에서 신뢰 구축과 관계 형성에 중점을 두어야 합니다.

현지 문화에 대한 이해와 존중

문화적 존중:

인도의 다양한 문화와 관습을 존중하고 이해하는 것이 중요합니다. 지역별로 차이가 크므로, 현지 문화를 존중하는 태도가 비즈니스 성공에 기여합니다.

지역 언어:

인도는 다양한 언어를 사용하는 국가로, 비즈니스 파트너와의 의사소통을 위해 영어 외에도 현지 언어를 이해하려는 노력이 필요합니다.

결론

인도에서 비즈니스를 시작하기 위해서는 철저한 시장 조사와 고객 니즈 파악, 성장 가능성이 있는 산업 분야에 대한 이해가 필수적입니다. 또한, 현지 비즈니스 문화와 관행을 존중하고 이해하는 태도가 중요합니다. 이러한 준비 과정을 통해 인도 시장에서 성공적인 비즈니스를 운영할 수 있을 것입니다.

3. 법인 설립 및 등록

(1) 법인설립 관련 절차

① 회사 형태 결정
② 회사명 확인 및 승인
③ 디지털 서명 인증서(DSC) 획득
④ 이사 식별 번호(DIN) 신청
⑤ 회사 설립 신청서 제출 (SPICe+ Form)

⑥ PAN 및 TAN 신청

(2) 법인설립 후 절치

① 이사회 개최
② 감사인 선임
③ 은행 계좌 개설
④ 자본금 송금/신고/
⑤ GST 등록
⑥ 사업개시 신고
⑦ 기타 필요한 등록 및 라이선스

회사 유형 선택 (주식회사, 유한 회사 등)

각 회사 유형의 장단점

인도에서 법인을 설립할 때 선택할 수 있는 주요 회사 유형은 주식회사(Public Limited Company), 유한 회사(Private Limited Company), 개인 소유 회사(Sole Proprietorship), 파트너십 회사(Partnership), 유한책임 파트너십(Limited Liability Partnership, LLP) 등이 있습니다. 각 회사 유형의 장단점은 다음과 같습니다.

주식회사 (Public Limited Company)

장점:

- **자본 조달 용이**: 주식회사는 공개적으로 주식을 발행할 수 있어 대규모 자본 조달이 가능합니다.
- **신뢰성**: 주식회사는 높은 수준의 규제와 공개 의무로 인해 신뢰성이 높습니다.
- **무한한 주주 수**: 주식회사는 주주 수에 제한이 없어 많은 투자자를 유치할 수 있습니다.

단점:

- **복잡한 규제 준수**: 높은 수준의 규제와 보고 의무로 인해 운영이 복잡하고 비용이 많이 듭니다.
- **설립 비용**: 주식회사는 설립 비용이 높고, 유지 관리 비용도 상당합니다.
- **경영의 유연성 부족**: 주주와 이사회 간의 권한 분배로 인해 경영의 유연성이 떨어질 수 있습니다.

유한 회사 (Private Limited Company)

장점:

- **유한 책임**: 주주의 책임이 출자한 자본금으로 한정되어 개인 자산 보호가 가능합니다.
- **경영의 유연성**: 상대적으로 적은 규제와 더 많은 경영의 유연성을 가집니다.
- **소규모 자본**: 비교적 적은 자본으로도 설립이 가능하며, 소규모 기업에 적합합니다.

단점:

- **자본 조달의 제한**: 공개적으로 주식을 발행할 수 없어 자본 조달에 제한이 있습니다.
- **주주 수 제한**: 최대 200 명의 주주로 제한되어 대규모 자본 조달이 어렵습니다.
- **비공개성**: 주식의 자유로운 양도가 제한되어 있습니다.

개인 소유 회사 (Sole Proprietorship)

장점:

- **간단한 설립 및 운영**: 설립 절차와 운영이 간단하며, 별도의 법인 등록이 필요하지 않습니다.

- **경영의 유연성**: 소유주가 모든 결정을 내릴 수 있어 경영의 유연성이 높습니다.
- **세금 혜택**: 소득세 신고가 개인 소득세로 간소화됩니다.

단점:

- **무한 책임**: 소유주가 모든 부채와 손실에 대해 무한 책임을 집니다.
- **자본 조달의 제한**: 자본 조달이 어려우며, 주로 소유주의 개인 자산에 의존합니다.
- **존속성의 문제**: 소유주가 사망하거나 사업을 그만두면 회사도 종료됩니다.

파트너십 회사 (Partnership)

장점:

- **쉬운 설립**: 설립 절차가 간단하며, 등록이 필수가 아닙니다.
- **다양한 자본 조달**: 여러 파트너의 자본을 모아 사용할 수 있습니다.
- **경영의 융통성**: 파트너 간의 협의를 통해 경영 결정을 내릴 수 있습니다.

단점:

- **무한 책임**: 일반 파트너들은 무한 책임을 지며, 개인 자산까지 위험에 처할 수 있습니다.
- **책임의 분산**: 파트너 간의 책임 분담이 명확하지 않으면 갈등이 발생할 수 있습니다.
- **존속성의 문제**: 파트너의 탈퇴나 사망으로 인해 회사 존속에 문제가 생길 수 있습니다.

유한책임 파트너십 (Limited Liability Partnership, LLP)

장점:

- **유한 책임**: 파트너의 책임이 출자한 자본으로 한정되어 개인 자산 보호가 가능합니다.
- **경영의 유연성**: LLP 는 파트너십과 유사한 구조로 경영의 유연성을 제공합니다.
- **법인격 부여**: LLP 는 독립된 법인격을 가지므로 지속적인 사업 운영이 가능합니다.

단점:

- **복잡한 설립 절차**: 설립 절차가 다소 복잡하며, 등록이 필요합니다.
- **운영 비용**: LLP 의 규제 준수 및 유지 관리 비용이 발생합니다.
- **외부 자본 조달의 제한**: 공개적으로 자본을 조달하기 어려우며, 주로 파트너의 출자에 의존합니다.

한국 회사와의 비교

한국의 주식회사와 **인도의 주식회사 비교**:

한국의 주식회사도 공개적으로 주식을 발행할 수 있으며, 대규모 자본 조달이 가능합니다. 그러나 한국의 주식회사 설립 절차는 인도보다 상대적으로 복잡할 수 있으며, 규제 준수 의무가 엄격합니다.

인도의 주식회사는 다양한 정부 지원 프로그램과 세금 혜택을 받을 수 있지만, 한국의 주식회사는 상대적으로 더 안정적인 경제 환경과 인프라를 활용할 수 있습니다.

한국의 유한회사와 **인도의 유한회사 비교**:

한국의 유한회사는 최소 자본금이 요구되지 않으며, 비교적 간단한 설립 절차로 인해 중소기업에 적합합니다. 인도의 유한회사도 비슷한 특성을 가지며, 중소기업이 선호하는 형태입니다.

■ 회사 유형별 장단점 및 특징비교

회사 유형	장점	단점	특징
주식회사 (Public Limited Company)	- 자본 조달 용이 - 신뢰성 높음 - 무한한 주주 수 가능	- 복잡한 규제 준수 - 높은 설립 및 유지 비용 - 경영의 유연성 부족	- 공개적으로 주식을 발행하여 자본 조달 - 주주 및 이사회 구성
유한 회사 (Private Limited Company)	- 유한 책임 - 경영의 유연성 - 소규모 자본으로 설립 가능	- 자본 조달의 제한 - 주주 수 제한 (최대 200 명) - 비공개성	- 주식 발행 불가, 최대 200 명의 주주 - 중소기업에 적합
개인 소유 회사 (Sole Proprietorship)	- 간단한 설립 및 운영 - 경영의 유연성 - 개인 소득세 신고 간소화	- 무한 책임 - 자본 조달의 제한 - 존속성 문제	- 소유주 단독 경영 - 법인 등록 불필요
파트너십 회사 (Partnership)	- 쉬운 설립 - 다양한 자본 조달 가능 - 경영의 융통성	- 무한 책임 - 책임의 분산 문제 - 존속성 문제	- 파트너 간 협의 경영 - 법인 등록 불필요
유한책임 파트너십 (Limited Liability Partnership, LLP)	- 유한 책임 - 경영의 유연성 - 법인격 부여	- 복잡한 설립 절차 - 운영 비용 발생 - 외부 자본 조달의 제한	- 파트너 간 경영 - 독립된 법인격 가짐 - 파트너 출자 기반

- **자본 조달 용이성**: 주식회사와 달리 유한회사와 LLP 는 공개적으로 주식을 발행할 수 없으므로 자본 조달에 제한이 있습니다.
- **유한 책임**: 유한회사와 LLP 는 주주나 파트너가 출자한 자본금에 대해서만 책임을 집니다.
- **경영의 유연성**: 유한회사와 LLP 는 상대적으로 규제가 적고 경영의 유연성이 높습니다.

- **복잡한 규제 준수**: 주식회사는 높은 수준의 규제와 공개 의무를 준수해야 합니다.
- **무한 책임**: 개인 소유 회사와 파트너십 회사는 소유주나 파트너가 모든 부채와 손실에 대해 무한 책임을 집니다.
- **법인격 부여**: LLP 는 독립된 법인격을 가지므로 지속적인 사업 운영이 가능합니다.
- **소규모 자본**: 유한회사는 비교적 적은 자본으로도 설립이 가능하며, 중소기업에 적합합니다.

■ 회사설립위한 주요 단계 및 필요 서류, 예상 시간, 비용

단계	회사 준비 서류	컨설턴트 준비 서류	예상 시간 (일)	예상 비용 (INR)
1. 디지털 서명 인증서 (DSC) 획득	이사 신분증, 주소 증명서	인증 기관 신청 서류	1 - 3	1,500 - 2,500
2. 이사 식별 번호 (DIN) 신청	이사 신분증, 주소 증명서	DIN 신청서, 컨설턴트 인증서류	1 - 2	500
3. 회사 이름 예약	회사 이름 신청서, 이사 신분증	RUN 서비스 신청서	1 - 2	1,000
4. 회사 등록 신청 (SPICe+ 양식 제출)	정관(MOA), 내규(AOA), 이사 신분증, 주소 증명서	SPICe+ 양식 작성 및 제출	5 - 7	2,000 - 5,000
5. 본사 주소 증명서 등록	임대 계약서, NOC	주소 증명서	1 - 2	500 - 1,000
6. 영업자 등록증 및 기타 허가	산업별 허가 서류, 사업 계획서	영업자 등록 신청서	2 - 3	3,000 - 5,000
7. PAN 및 TAN 신청	PAN/TAN 신청서, 이사 신분증	PAN/TAN 양식 작성 및 제출	2 - 5	150 (PAN) + 65 (TAN)

- **디지털 서명 인증서 (Digital Signature Certificate, DSC) 획득**

1. 모든 서류 제출을 위해 디지털 서명이 필요합니다.
2. 인가된 인증 기관에서 DSC 를 신청하고 획득합니다.

- **이사 식별 번호 (Director Identification Number, DIN) 신청**

1. 회사의 이사는 DIN 을 등록해야 합니다.
2. 온라인 포털을 통해 DIN 을 신청하고, 필요한 문서를 제출합니다.

- **회사 이름 예약 (Name Reservation)**

1. 원하는 회사 이름을 예약하기 위해 RUN (Reserve Unique Name) 서비스를 이용합니다.
2. 최소 두 개의 대체 이름을 포함하여 이름 신청서를 제출합니다.

- **회사 등록 신청 (Incorporation Application)**

1. SPICe+ (Simplified Proforma for Incorporating Company Electronically Plus) 양식을 통해 회사 등록을 신청합니다.
2. 정관(MOA) 및 내규(AOA)와 함께 모든 필수 서류를 제출합니다.

- **영업자 등록증 (Business License) 및 기타 허가**

1. 특정 업종에 따라 추가 영업자 등록증 및 허가를 받아야 할 수 있습니다.
2. 주 및 지방 정부의 요구 사항에 따라 추가 등록이 필요합니다.

- 주요 정부 기관 및 제출처

1) **회사 등록부 (Registrar of Companies, RoC)**
   - 회사 등록 절차와 관련된 모든 서류는 지역 RoC 에 제출합니다.

2) **인도 기업부 (Ministry of Corporate Affairs, MCA)**
   - MCA 포털을 통해 온라인으로 모든 신청서를 제출하고, 상태를 추적할 수 있습니다.
   - https://www.mca.gov.in/

3) **세무 당국 (Income Tax Department)**
   - 회사 등록 후 PAN (Permanent Account Number) 및 TAN (Tax Deduction and Collection Account Number)을 신청해야 합니다.
   - https://www.incometax.gov.in/

4) **기타 관련 당국**
   - 특정 업종에 따라 노동부, 환경부, 산업부 등 관련 당국에 추가 허가를 신청해야 할 수 있습니다.

결론

인도에서 법인을 설립하고 등록하는 과정은 다양한 선택지와 절차로 구성되어 있습니다. 각 회사 유형의 장단점을 이해하고, 한국의 회사 유형과 비교하여 가장 적합한 형태를 선택하는 것이 중요합니다. 또한, 회사 등록 절차를 철저히 이해하고 필요한 문서와 비용을 준비하여, 원활하게 법인을 설립할 수 있도록 해야 합니다.

4. 재무 관리

자본 조달 방법

자금 조달 옵션

1. 자기 자본

개요: 자기 자본(Self-Financing)은 기업 소유주가 자신의 자산을 활용하여 자금을 조달하는 방식입니다. 이는 외부 자금 조달 없이 기업 운영을 시작하거나 확장할 때 사용됩니다.

장점:

- **무이자 자금**: 대출이나 외부 투자와 달리 이자 비용이 발생하지 않습니다.
- **경영 통제 유지**: 외부 투자자가 없어 경영권이 유지됩니다.

단점:

- **자산 위험**: 소유주의 개인 자산이 사업에 위험을 감수해야 합니다.
- **자금 한계**: 소유주의 자산에 따라 자금 조달 규모가 제한됩니다.

2. 증자

개요: 증자(Capital Increase)는 기존 주주들에게 새로운 주식을 발

행하여 자본을 조달하는 방식입니다. 이는 주로 주식회사에서 사용되며, 사업 확장이나 신규 프로젝트 자금 조달에 활용됩니다.

수권자본 (Authorized Capital)과 납입자본 (Paid-up Capital)

수권자본 (Authorized Capital)

정의

수권자본은 회사가 법적으로 발행할 수 있는 최대 자본 금액을 의미합니다. 이는 회사의 정관(Memorandum of Association, MOA)에 명시되며, 회사가 발행 가능한 주식의 총 액수를 나타냅니다.

절차

- **초기 설정**: 회사 설립 시, 수권자본의 금액은 정관에 명시되어야 합니다. 이를 통해 회사는 발행 가능한 최대 주식의 수와 금액을 규정합니다.
- **변경 절차**: 수권자본을 변경하려면 주주총회의 특별 결의(Special Resolution)가 필요합니다. 변경 절차는 다음과 같습니다:
- **이사회 결의**: 이사회 회의에서 수권자본 변경을 승인합니다.
- **주주총회 소집**: 주주총회를 소집하여 특별 결의안을 상정합니다.
- **주주총회 결의**: 주주들이 특별 결의를 통해 변경을 승인합니다.

- **ROC 신고**: 변경된 수권자본을 회사 등록소(Registrar of Companies, ROC)에 신고하고, 필요한 서류(Form SH-7)와 함께 등록합니다.

관련 규정

- **Companies Act, 2013**: 수권자본의 설정 및 변경 절차는 회사법 제 61 조에 명시되어 있습니다.
- **ROC 신고 요건**: 변경된 수권자본은 ROC 에 신고해야 하며, 변경된 내용이 정관에 반영되어야 합니다.

납입자본 (Paid-up Capital)

정의

납입자본은 회사가 실제로 주주로부터 납입받은 자본을 의미합니다. 이는 회사가 발행한 주식의 총 액수를 나타내며, 주주들이 주식 대금으로 납입한 금액입니다.

절차

- **주식 발행**: 회사는 주주들에게 주식을 발행하고, 주주들은 주식 대금을 납입합니다.
- **납입금 수령**: 주주들이 납입한 자본금은 회사의 은행 계좌로 입금되며, 이는 납입자본으로 기록됩니다.
- **주식 증서 발행**: 회사는 주주들에게 주식 증서를 발행하여 주식 소유권을 증명합니다.

- **ROC 신고**: 납입자본의 변경(예: 추가 주식 발행 시)은 ROC 에 신고해야 합니다. 필요한 서류(Form PAS-3)와 함께 제출합니다.

관련 규정

- **Companies Act, 2013**: 납입자본과 관련된 규정은 회사법 제 2 조(64 항) 및 제 52 조에 명시되어 있습니다.
- **ROC 신고 요건**: 납입자본의 변동 사항은 ROC 에 신고해야 하며, 주식 발행 후 30 일 이내에 신고서를 제출해야 합니다.

주식의 전자화 (Dematerialization)

- 개념

  주식의 전자화는 물리적 주식 증서를 전자 형태로 전환하는 것을 의미합니다.
- 대상

  모든 Private limited 회사들의 주권은 반드시 전자 방식으로 전환해야 합니다.
- 예외사항

- 공기업 및 소규모 회사: 자본금 4 천만 루피, 매출액 4 억 루피 이하의 회사는 예외로 합니다.
- **다만, 다른 회사의 자회사(subsidiary) 혹은 자회사를 보유한 회사(holding company)는 소규모 회사라 할지라도 예외가 되지 않으며, 반드시 준수해야 합니다.**

- 미준수시 페널티

- **주식의 추가 발행 금지**: 주식의 양도 금지

- **과태료**: 회사 및 회사의 주요 경영진에게 INR 10,000 및 일 INR 1,000 의 과태료가 부과됩니다.

- 시행시기

- 해당 규정은 2023 년 10 월 27 일 발표, 10 월 28 일부터 시행되었습니다.
- **2024 년 9 월까지 인도 내 모든 private limited 회사들은 주권을 전자화해야 합니다.**

- 프로세스

단계	제목	상세내용
1	주식등록대리인 (RTA) 선정	회사는 주식등록대리인을 선정합니다 (Registrar and Transfer Agents)
2	이사회 결의	예탁기관과의 계약, 주식 전자화, RTA의 선정 등을 승인하는 이사회 결의를 합니다
3	서류 제출 및 수수료 납부	RTA가 요구하는 서류를 제출하고, 보안 예치금 및 연간 수수료를 납부합니다
4	3자 계약 체결	회사, RTA, 예탁기관 간의 3자 계약을 체결합니다
5	수수료 납부	가입 수수료 및 연간 보관 수수료를 납부합니다
6	ISIN 발급	예탁기관이 ISIN을 발급합니다 (International Securities Identification Number)

3. 은행 대출

개요: 은행 대출은 인도에서 가장 일반적인 자금 조달 방법 중 하나입니다. 은행 대출을 통해 기업은 운영 자금, 자본 지출, 프로젝트 자금 등을 충당할 수 있습니다.

주요 대출종류:

- **운전 자금 대출 (Working Capital Loans)**: 일상적인 운영 비용을 충당하기 위한 단기 대출입니다. 이 대출은 재고 구입, 급여 지급, 기타 운영 비용을 충당하는 데 사용됩니다.
- **시설자금 대출 (Term Loans)**: 시설 확장, 기계 구매, 신규 프로젝트 시작 등 중장기 자금 필요 시 활용됩니다.

절차 및 필요 서류:

- **대출 신청서**: 기업의 재무 상태, 사업 계획서, 대출 목적 등을 포함하여 작성해야 합니다.
- **회사 등록 증명서**: 법인 설립 증명서 및 기타 법적 서류.
- **재무제표**: 최근 2-3 년간의 재무제표와 세무 신고서.
- **담보 서류**: 담보 제공 시 필요한 서류.
- **기타 은행별 추가요청서류**

4. 외부 상업 차입 (ECB: External Commercial Borrowings)

1. 개요

외부 상업 차입(External Commercial Borrowings, ECB)은 인도 기업이 해외에서 자금을 조달하는 방법 중 하나입니다. ECB는 인도 비거주자(Non-Resident Indian, NRI) 또는 외국 기관으로부터 상업적인 목적으로 자금을 차입하는 것을 의미합니다. 이는 대규모 프로젝트, 인프라 개발, 운영 자금 등에 필요한 자금을 조달하는 데 주로 사용됩니다.

2. 방식 (Modes)

ECB는 다양한 방식으로 조달할 수 있으며, 주요 방식은 다음과 같습니다:

- **은행 대출**: 외국 은행이나 금융 기관으로부터 직접 대출을 받는 방식입니다.
- **채권 발행**: 국제 시장에서 채권(Foreign Currency Convertible Bonds, FCCBs 또는 Foreign Currency Exchangeable Bonds, FCEBs)을 발행하여 자금을 조달합니다.
- **무역 신용**: 수출입 거래와 관련된 무역 신용 형태로 자금을 조달합니다.
- **주주 대출**: 외국에 있는 모회사나 자회사로부터 대출을 받는 방식입니다.

3. 관련 규정 (Regulations)

인도에서 ECB는 인도 중앙은행(Reserve Bank of India, RBI)과 정부의 엄격한 규제를 받습니다. 주요 규정은 다음과 같습니다:

- **자격 요건 (Eligible Borrowers)**:

제조업, 소프트웨어 개발, 인프라 개발 등 특정 산업 분야의 기업이 ECB를 사용할 수 있습니다.

중소기업, 소기업, 비은행 금융 회사(Non-Banking Financial Companies, NBFCs) 등도 ECB를 사용할 수 있습니다.

- **자격 요건 (Eligible Lenders):**

국제 은행, 국제 금융 기관, 해외 지주 회사, 외국 파트너, 외국 주주 등 다양한 외국 기관이 ECB를 제공할 수 있습니다.

- **목적 (End-Use Restrictions):**

ECB는 인프라 프로젝트, 제조업 확장, 수출 증대, 운영 자금 등 특정 용도로 사용해야 합니다.

부동산, 주식 투자, 자본 시장 거래 등은 ECB 자금 사용이 제한됩니다.

- **차입 한도 (Borrowing Limits):**

ECB의 차입 한도는 차입 기간에 따라 다릅니다. 일반적으로 중장기 차입(3년 이상)의 경우 한도가 더 큽니다.

ECB 차입 금액은 회사의 순자산(Net Owned Funds) 또는 특정 비율을 초과하지 않아야 합니다.

- **금리 및 수수료 (Interest Rate and Fees):**

ECB의 금리는 국제 시장 금리에 따라 달라집니다.

RBI는 ECB 금리 및 관련 수수료에 대한 상한선을 설정합니다.

관계사 통한 ECB거래시 금리는 이전가격관점에서 고려되어야 합니다.

- **승인 절차 (Approval Process)**:

ECB는 자동 승인 경로(Automatic Route)와 승인 경로(Approval Route)로 나눠집니다.

자동 승인 경로: RBI의 사전 승인 없이 차입이 가능하며, 차입 후 7일 이내에 보고서 제출.

승인 경로: RBI의 사전 승인이 필요하며, 정해진 절차에 따라 신청서를 제출해야 합니다.

- **신고 및 준수 (Reporting and Compliance)**:

ECB 차입은 RBI에 정기적으로 보고(매월 7일)해야 하며, 차입 및 상환과 관련된 모든 거래를 투명하게 기록하고 보고해야 합니다.

ECB 관련 규정을 준수하지 않을 경우, 법적 제재가 가해질 수 있습니다.

5. 벤처 캐피탈

개요: 벤처 캐피탈(Venture Capital, VC)은 고성장 가능성이 있는 스타트업과 중소기업에 자본을 투자하는 방식입니다. 벤처 캐피탈리스트는 주로 혁신적인 기술이나 제품을 가진 기업에 투자하며, 지분을 통해 투자 수익을 얻습니다.

절차 및 필요 서류:

- **사업 계획서**: 비즈니스 모델, 시장 분석, 성장 전략 등을 포함한 상세한 사업 계획서.
- **재무제표**: 기존의 재무 성과와 예측 재무제표.
- **팀 프로필**: 경영진 및 주요 팀원들의 이력서와 경력.
- **기술 및 제품 정보**: 혁신적인 기술이나 제품에 대한 설명과 시연.

6. 엔젤 투자자

개요: 엔젤 투자자(Angel Investors)는 주로 초기 단계 스타트업에 자금을 투자하는 개인 투자자들입니다. 엔젤 투자자는 자금뿐만 아니라 멘토링, 네트워크, 비즈니스 노하우를 제공하기도 합니다.

절차 및 필요 서류:

- **사업 계획서**: 비즈니스 아이디어, 시장 기회, 경쟁 분석 등을 포함한 상세한 계획서.
- **피치 덱 (Pitch Deck)**: 투자자에게 사업 아이디어를 효과적으로 설명하기 위한 프레젠테이션 자료.
- **재무제표 및 예산 계획**: 자금 사용 계획과 예상 수익을 포함한 재무 자료.

은행 계좌 개설

인도에서의 은행 선택 기준

1. 은행의 신뢰성 및 안정성

개요: 은행의 신뢰성과 재정 건전성은 기업의 재무 안정성을 확보하는 데 중요합니다. 인도 내에서 신뢰할 수 있는 은행을 선택해야 합니다.

평가 기준:

- **신용 등급**: 은행의 신용 등급을 확인하여 재정 건전성을 평가합니다.
- **고객 리뷰 및 피드백**: 기존 고객의 리뷰와 피드백을 통해 은행의 신뢰성을 평가합니다.

2. 서비스 및 혜택

개요: 은행이 제공하는 서비스와 혜택은 기업의 재무 관리 효율성을 높이는 데 도움이 됩니다.

평가 기준:

- **온라인 뱅킹 서비스**: 편리한 온라인 뱅킹 서비스 제공 여부.
- **해외 거래 지원**: 외환 거래 및 국제 송금 서비스.
- **대출 및 크레딧**: 경쟁력 있는 대출 금리 및 크레딧 제공 여부.

3. 접근성 및 지점 네트워크

개요: 은행의 접근성과 지점 네트워크는 기업의 일상적인 금융 거래의 편리성을 높입니다.

평가 기준:

- **지점 및 ATM 네트워크**: 은행 지점과 ATM 의 위치와 접근성.
- **고객 서비스**: 고객 지원 서비스의 품질과 신속성.

계좌 개설 절차 및 필요 서류

1. 계좌 개설 절차

- **단계**:

1) **은행 선택**: 신뢰할 수 있는 은행을 선택합니다.
2) **계좌 유형 결정**: 비즈니스 계좌, 현재 계좌 등 필요한 계좌 유형을 결정합니다.
3) **서류 제출**: 필요한 서류를 준비하여 은행에 제출합니다.
4) **계좌 개설 신청서 작성**: 은행에서 제공하는 계좌 개설 신청서를 작성합니다.
5) **신청서 및 서류 검토**: 은행이 제출된 서류와 신청서를 검토합니다.
6) **계좌 개설 승인**: 서류 검토 후 계좌 개설이 승인되면 계좌 번호를 발급받습니다.

2. 필요 서류

- 법인 계좌 개설 시 필요 서류:

1) 회사 등록 증명서 (Certificate of Incorporation)
2) 정관 (Memorandum of Association, MOA) 및 내규 (Articles of Association, AOA)
3) 이사 신분증 및 주소 증명서
4) PAN 카드 (Permanent Account Number)
5) 본사 주소 증명서 (Registered Office Address Proof)
6) 이사회 결의서 (Board Resolution) - 계좌 개설 및 운영 담당자 지정

 # 인도에 진출해 있는 한국계 은행 현황 (2024년 6월 기준)

1) 신한은행 (Shinhan Bank):뉴델리/뭄바이/아메다바드/푸네/첸나이/랑가레디
2) KEB 하나은행 (KEB Hana Bank):뉴델리/첸나이
3) KB 국민은행 (KB Kookmin Bank):구르가온
4) 우리은행 (Woori Bank):첸나이/구르가온/뭄바이
5) IBK 기업은행 (Industrial Bank of Korea, IBK):뉴델리
6) 농협은행 (NongHyup Bank):노이다

 # 법인계좌(Current Account) 개설제한

- *관련규정*
- 대출을 보유한 법인이 타행에 계좌를 개설할 때 대출 보유 은행의 NOC 제출이 예외적으로 허용되는 조건을 삭제.
- **대출 보유 은행 이외의 은행에 계좌를 보유하지 못하도록 금지.**

- 계좌 개설 조건
- **대출 금액 5 천만루피 미만**:
  : 모든 은행에서 current account 개설 가능.
- **대출 금액 5 천만루피 이상 5 억루피 미만**:
  : 대출이 있는 은행에서는 계좌 개설이 허용되지만, 대출이 없는 은행에서는 수금 계좌(collection account)만 개설 가능.
- **대출 금액 5 억루피 이상**:
- : 대출이 없는 은행에서 계좌 개설은 허용되지 않으며, 세금 납부 목적의 세금 납부 은행으로 지정된 은행에서 계좌 개설 가능.

세금 신고 및 회계 관리

세금 신고 절차 및 마감일

1. 주요 세금 신고 절차

- **법인세 신고**:

1) **신고서 작성**: 회사의 연간 재무제표를 기반으로 법인세 신고서를 작성합니다.

2) **온라인 제출**: 인도 소득세 웹사이트를 통해 전자 신고서를 제출합니다.
3) **세금 납부**: 신고서 제출 후 법인세를 납부합니다.

- GST 신고:

1) **월간/분기별 신고**: 매월 또는 분기별로 GST 신고서를 작성하고 제출합니다.
2) **전자 신고**: GST 포털을 통해 전자 신고서를 제출합니다.
3) **세금 납부**: 신고서 제출 후 GST 를 납부합니다.

2. 주요 마감일

- 법인세 마감일:

1) **연간 법인세 신고**: 회계 연도 종료 후 6 개월 이내 (보통 9 월 30 일).
2) **분기별 선납**: 분기별로 예상 세금을 선납해야 합니다.

- GST 마감일:

1) **월간 신고**: 매월 20 일.
2) **분기별 신고**: 소규모 납세자의 경우 매 분기 종료 후 20 일 이내.

회계 소프트웨어 및 외부 회계사 활용 방법

1. 회계 소프트웨어

개요: 효율적인 회계 관리를 위해 회계 소프트웨어를 도입하는 것

이 중요합니다. 이는 재무제표 작성, 세금 신고, 자금 관리 등을 자동화하여 업무 효율성을 높입니다.

주요 회계 소프트웨어:

- Tally ERP 9: 인도에서 가장 널리 사용되는 회계 소프트웨어로, 재무 관리, 세금 계산, 급여 관리 등 다양한 기능을 제공합니다.
- QuickBooks: 소규모 비즈니스에 적합한 회계 소프트웨어로, 사용이 간편하고 다양한 회계 기능을 제공합니다.
- Zoho Books: 클라우드 기반 회계 소프트웨어로, 재고 관리, 프로젝트 관리, 세금 계산 등을 지원합니다.

2. 외부 회계사 활용 방법

개요: 외부 회계사를 활용하면 전문적인 재무 관리와 세금 신고를 통해 법적 규정을 준수하고, 재무 상태를 개선할 수 있습니다.

활용 방법:

- **회계사 선정**: 신뢰할 수 있는 회계사 또는 회계 법인을 선정합니다.
- **서비스 계약**: 회계 관리, 세금 신고, 재무제표 작성 등의 서비스 계약을 체결합니다.
- **정기 보고**: 회계사는 정기적으로 재무 보고서를 제공하며, 필요 시 경영진과 협의합니다.

- **세금 신고 지원**: 외부 회계사는 정확한 세금 신고와 납부를 지원하며, 최신 세법 정보를 제공합니다.

참고) 인도에서 시행 중인 전자세금계산서 (E-Invoicing)

1. 도입 배경

전자세금계산서(e-Invoicing)는 인도 정부가 납세자와 세무 당국 간의 투명성을 강화하고, 세금 탈루를 방지하며, 세금 신고 절차를 간소화하기 위해 도입한 시스템입니다. 이 시스템은 물품 및 서비스세(GST) 체계의 일부로, 세금 관련 거래를 보다 효율적으로 관리하기 위해 도입되었습니다.

2. 인도 전자세금계산서 발행 의무 기준 변경 히스토리

날짜	연 매출 기준	상세 설명
2019 년 12 월	시범 도입	일부 선택된 기업 대상으로 전자세금계산서 시스템 시험 도입
2020 년 10 월 1 일	500 억 루피 이상	대규모 기업을 대상으로 전자세금계산서 발행 의무화 시작
2021 년 1 월 1 일	100 억 루피 이상	중견 기업을 포함하여 의무화 대상 확대
2021 년 4 월 1 일	50 억 루피 이상	전자세금계산서 발행 의무화 대상 추가 확대
2022 년 1 월 1 일	20 억 루피 이상	중소기업도 포함되는 범위로 의무화 대상 확대
2022 년 4 월 1 일	10 억 루피 이상	더 작은 규모의 기업들로 의무화 대상 확장
2023 년 10 월 1 일	5 억 루피 이상	중소기업을 포함하여 의무화 기준 더욱 낮춤

3. 전자세금계산서의 주요 요소

- **IRN (Invoice Reference Number)**: 전자세금계산서가 유효하려면 GSTN (Goods and Services Tax Network)에서 발급하는 IRN 이 포함되어야 합니다.
- **QR 코드**: IRN 과 함께 QR 코드가 포함된 세금계산서를 발행해야 합니다. QR 코드에는 주요 거래 정보가 암호화되어 있습니다.
- **전자 송장 포맷**: 인도 GST 당국이 규정한 JSON 형식의 전자 송장 포맷을 사용해야 합니다.

4. 구축 방법

(1) 시스템 준비

소프트웨어 및 IT 인프라 준비:

- **ERP 시스템 업데이트**: 전자세금계산서를 지원하는 최신 ERP 시스템으로 업그레이드해야 합니다. 이는 SAP, Oracle, Tally 등과 같은 ERP 시스템일 수 있습니다.
- **API 통합**: GSTN 포털과의 통합을 위해 필요한 API 를 설정하고, ERP 시스템과 GSTN 시스템 간의 데이터 전송을 원활하게 합니다.

(2)전자세금계산서 생성 및 전송

단계:

1) **전자세금계산서 생성**: ERP 시스템에서 거래 정보를 기반으로 전자세금계산서를 생성합니다. 이 세금계산서는 JSON 형식으로 변환됩니다.
2) **IRN 요청**: 생성된 전자세금계산서를 GSTN 포털에 전송하여 IRN 을 요청합니다.
3) **IRN 및 QR 코드 수신**: GSTN 포털은 송장을 검증하고, 유효한 경우 IRN 을 발급하며, QR 코드를 생성하여 응답합니다.
4) **전자세금계산서 발행**: IRN 과 QR 코드가 포함된 전자세금계산서를 고객에게 발행합니다.

(3) 유지 및 관리

정기적인 업데이트:

- **규정 변경 대응**: GST 당국의 규정 변경에 따라 시스템을 정기적으로 업데이트합니다.
- **보안 관리**: 데이터 보안을 위해 최신 보안 패치를 적용하고, 시스템의 안전성을 유지합니다.
- **교육 및 훈련**:

직원 교육: 전자세금계산서 시스템 사용법과 관련된 교육을 직원들에게 제공합니다. 이는 시스템 사용 오류를 줄이고, 효율적인 운영을 보장합니다.

인도 정부의 지원 및 인센티브

인도에서 신규 비즈니스를 시작하려는 회사에게는 여러 가지 혜택과 인센티브가 제공됩니다. 이는 중앙정부와 주정부가 각각 제공하며, 다양한 세금 혜택, 재정 지원, 인프라 지원 등을 포함합니다. 아래는 주요 혜택과 인센티브에 대한 개요입니다.

인센티브는 신규투자자 입장에서 매력적인 지원정책임은 분명하지만, 인도정부가 요구하는 자료준비 및 진행에 있어서는 불확실성과 시간축이 생각하는 것과 차이가 있을 수 있습니다.

이에 절차와 서류 준비 등 기준에 맞춰서 준비하기 위해, 관련지식과 경험을 보유한 어드바이저 통해 진행하는 것이 인센티브 승인을 기한내 받을 수 있는 매우 중요한 요소입니다.

중앙정부의 혜택

1. **생산 연계 인센티브(PLI)**

    - 특정 제조업 부문에 대한 생산 증가를 촉진하기 위해 인센티브를 제공합니다. 예를 들어, 전자 제품, 의료 기기, 의약품 등의 산업에서 생산량에 따라 인센티브가 지급됩니다.

2. **특별 경제 구역(SEZ)**

    - SEZ 내에서 운영되는 기업들에게는 법인세 면제, 수출입 관세 면제, 간소화된 규제 등의 혜택이 제공됩니다.

3. **스타트업 인센티브**

    - 스타트업 인디아(Start-up India) 프로그램을 통해 초기 자금 지원, 인큐베이션 센터 지원, 세금 혜택 등이 제공됩니다.

4. **수출 인센티브**

    - RoDTEP(수출 제품에 대한 관세 및 세금 환급 제도)와 같은 제도를 통해 수출 관련 세금을 환급받을 수 있습니다.

주요 주정부의 혜택

1. 카르나타카(Karnataka)

- **IT 및 BT 투자 지원**: IT 및 BT 기업을 대상으로 한 자본 투자 보조금, R&D 보조금, 인프라 지원.
- **전자 시스템 설계 및 제조(ESDM)**: ESDM 클러스터 내에서 세금 감면 및 보조금 지원.
- https://investkarnataka.co.in/

2. 텔랑가나(Telangana)

- **전자 제조 및 IT 산업**: 전자 시스템 설계 및 제조(ESDM) 클러스터 지원, IT/ITeS 인센티브, 스타트업 지원.
- **생명과학**: 의약품 및 바이오 의약품 생산 지원, 연구 개발(R&D) 인센티브.
- https://invest.telangana.gov.in/

3. 마하라슈트라(Maharashtra)

- **제조업 및 SEZ**: 제조업체를 위한 세금 감면, SEZ 내 세금 면제, 인프라 지원.
- **자동차 산업**: 자동차 부품 제조를 위한 인센티브, 인프라 개발 지원.
- https://www.midcindia.org/

4. 타밀 나두(Tamil Nadu)

- **전자 제품 및 자동차**: 전자 제품 제조 및 자동차 부품 제조를 위한 세금 혜택, 토지 제공, 전력 비용 보조금.
- **텍스타일 및 의류**: 텍스타일 및 의류 산업에 대한 다양한 보조금 및 세금 혜택.
- https://investingintamilnadu.com/DIGIGOV/

5. 구자라트(Gujarat)

- **화학 및 제약**: 화학 클러스터 및 제약 산업 지원, 자본 투자 보조금.
- **SEZ**: SEZ 내에서 운영되는 기업들에게 세금 혜택 및 인프라 지원.
- https://www.vibrantgujarat.com/

6. 우타르 프라데시(Uttar Pradesh)

- **식품 가공**: 메가 푸드 파크 및 식품 가공 산업 지원.
- **전자 제품**: 전자 제품 제조를 위한 보조금 및 세금 감면.
- https://invest.up.gov.in/

기타 혜택

1. **전력 및 인프라 지원**

- 다양한 주에서 전력 비용 보조금, 도로 및 기타 인프라 개발 지원을 제공합니다.

2. **재정 지원**

- 초기 자금 지원, 저리 대출, R&D 지원 등 다양한 재정 지원 프로그램이 있습니다.

3. **법인세 감면**

- 신규 설립 기업에 대한 초기 몇 년 동안의 법인세 감면 혜택이 제공됩니다.

이와 같은 다양한 혜택과 인센티브를 통해 인도에서 신규 비즈니스를 시작하는 기업들은 많은 지원을 받을 수 있습니다.

각 주의 경제 개발 기관이나 중앙정부의 투자 촉진 기관 웹사이트 통해 더 자세한 정보를 얻을 수 있습니다.

결론

재무 관리는 인도에서 비즈니스를 운영하는 데 있어 중요한 요소입니다. 자본 조달, 은행 계좌 개설, 세금 신고 및 회계 관리 등 각 단계에서 철저한 준비와 관리가 필요합니다. 이를 통해 기업은 재무 안정성을 확보하고, 법적 규정을 준수하며, 지속 가능한 성장을 이룰 수 있습니다.

5. 직원 고용 및 관리

인력 확보

채용 전략 및 채용 프로세스

1. 채용 전략

개요: 효과적인 채용 전략은 적합한 인재를 적시에 확보하는 데 필수적입니다. 인도에서는 다양한 산업과 직무에 맞는 맞춤형 채용 전략이 필요합니다.

세부 전략:

- **직무 분석 및 요구 사항 정의**: 채용할 직무에 대한 명확한 역할과 책임, 필요 역량을 정의합니다. 이를 통해 채용 프로세스의 일관성을 유지하고 적합한 후보자를 찾을 수 있습니다.
- **채용 목표 설정**: 채용의 목적과 목표를 명확히 설정합니다. 예를 들어, 일정 기간 내에 특정 수의 인재를 확보하거나, 특정 역량을 가진 인재를 확보하는 목표를 설정할 수 있습니다.

- **채용 예산 책정**: 채용 프로세스에 필요한 예산을 책정하고, 이를 효율적으로 사용합니다. 채용 광고, 리크루터 비용, 면접 비용 등을 포함합니다.
- **다양성 및 포용성**: 다양한 배경을 가진 후보자를 채용하여 조직의 다양성과 포용성을 강화합니다. 이는 창의성과 혁신을 촉진하는 데 도움이 됩니다.

2. 채용 프로세스

단계별 채용 프로세스:

- **채용 계획 수립**: 인력 수요를 분석하고, 채용 계획을 수립합니다. 이는 예산, 일정, 채용 방법 등을 포함합니다.
- **직무 기술서 작성**: 각 직무에 대한 상세한 직무 기술서를 작성하여 채용 공고에 활용합니다.
- **채용 공고**: 다양한 채용 채널을 통해 채용 공고를 게시합니다. 예를 들어, 채용 웹사이트, 소셜 미디어, 대학 캠퍼스 등에서 채용 공고를 게시합니다.
- **지원서 접수 및 검토**: 지원서를 접수하고, 이를 검토하여 적합한 후보자를 선별합니다.

면접: 1차 서류 심사를 통과한 후보자들을 대상으로 면접을 진행합니다. 면접은 전화 인터뷰, 대면 인터뷰, 패널 인터뷰 등 다양한 방식으로 진행될 수 있습니다.

- **평가 및 선택**: 면접 결과를 바탕으로 후보자를 평가하고, 최종 합격자를 선택합니다.

- **오퍼 및 협상**: 최종 합격자에게 채용 오퍼를 제시하고, 필요 시 근로 조건을 협상합니다.
- **채용 및 온보딩**: 채용이 확정된 직원에 대해 온보딩 절차를 진행합니다. 이는 신입 직원이 조직에 빠르게 적응하고, 업무에 적응할 수 있도록 지원하는 과정입니다.

인도에서의 주요 채용 채널

1. 온라인 채용 포털

개요: 온라인 채용 포털은 인도에서 가장 일반적인 채용 채널 중 하나입니다. 이를 통해 광범위한 후보자 풀에 접근할 수 있습니다.

주요 포털:

- Naukri.com: 인도에서 가장 큰 채용 포털 중 하나로, 다양한 산업 분야의 채용 정보를 제공합니다.
- Monster India: 글로벌 채용 포털로, 인도에서도 널리 사용됩니다.
- Shine.com: 빠르게 성장하는 채용 포털로, 다양한 직무와 산업의 채용 정보를 제공합니다.

2. 소셜 미디어

개요: 소셜 미디어는 네트워크를 활용하여 인재를 찾는 데 효과적인 도구입니다. 특히 젊은 인재들이 많이 사용하는 채널입니다.

주요 채널:

- LinkedIn: 전문 네트워크를 기반으로 한 채용 채널로, 인재 검색과 네트워킹에 유용합니다.
- Facebook: 다양한 그룹과 페이지를 통해 채용 공고를 게시할 수 있습니다.
- Twitter: 빠르게 채용 정보를 공유하고, 인재를 찾는 데 도움이 됩니다.

3. 대학 캠퍼스 채용

개요: 대학 캠퍼스 채용은 신입 사원을 채용하는 데 효과적인 방법입니다. 인도에는 많은 우수한 대학과 기술 학교가 있어, 유망한 인재를 찾을 수 있습니다.

주요 대학:

- IITs (Indian Institutes of Technology): 인도의 최고 기술 대학들로, 우수한 엔지니어와 과학자를 배출합니다.
- IIMs (Indian Institutes of Management): 경영학 분야의 최고 대학들로, 뛰어난 경영 인재를 제공합니다.
- NITs (National Institutes of Technology): 주요 기술 대학들로, 다양한 기술 분야의 인재를 배출합니다.

4. 리크루터 및 채용 에이전시

개요: 리크루터와 채용 에이전시는 전문적인 인재 검색과 채용 서비스를 제공합니다. 이는 특히 고급 기술직이나 관리직 채용에 유용합니다.

주요 에이전시:

- TeamLease: 다양한 산업 분야에서 인재를 제공하는 인도의 주요 채용 에이전시.
- Randstad India: 글로벌 인재 솔루션 제공업체로, 인도 시장에서도 활발히 활동 중.
- ABC Consultants: 인도 내 다양한 분야의 고급 인재를 제공하는 채용 에이전시.

근로 계약 및 규정 준수

표준 근로 계약서 작성

1. 표준 근로 계약서 구성 요소

개요: 표준 근로 계약서는 고용주와 직원 간의 권리와 의무를 명확히 하기 위한 중요한 문서입니다. 이를 통해 법적 분쟁을 예방하고, 양측의 기대를 명확히 할 수 있습니다.

구성 요소:

- **고용 조건**: 직무, 직책, 근무 장소, 고용 형태(정규직, 계약직 등) 등.
- **근무 시간 및 휴가**: 주당 근무 시간, 휴가 정책, 휴식 시간 등.
- **보상 및 혜택**: 급여, 보너스, 인센티브, 복지 혜택 등.
- **고용 기간**: 고용 계약의 시작일과 종료일(계약직의 경우).

- **비밀 유지 및 비경쟁 조항**: 기밀 정보 보호와 경쟁 제한에 관한 조항.
- **종료 조건**: 고용 계약 해지 사유 및 절차, 사전 통보 기간 등.
- **법적 준수**: 관련 법률 및 규정 준수 의무.

2. 근로 계약서 작성 절차

단계:

- **초안 작성**: 표준 템플릿을 기반으로 근로 계약서 초안을 작성합니다.
- **법률 검토**: 법률 전문가에게 검토를 받아 법적 문제를 사전에 예방합니다.
- **내부 승인**: 경영진의 승인을 받아 최종 계약서를 확정합니다.
- **직원 서명**: 직원에게 계약서를 전달하고, 서명을 받습니다.
- **보관**: 서명된 계약서를 안전하게 보관합니다.

주요 노동법 및 규제

1. 인도의 주요 노동법

개요: 인도는 다양한 노동법을 통해 근로자의 권리를 보호하고, 고용주의 의무를 규정하고 있습니다. 주요 노동법은 다음과 같습

니다.

주요 법률:

1. 최저임금법 (Minimum Wages Act, 1948)

개요: 최저임금법은 근로자에게 최소한의 생활 임금을 보장하기 위해 제정된 법률입니다. 이 법은 근로자가 생활에 필요한 기본적인 생계비를 충당할 수 있도록 각 주에서 최저 임금을 설정하고, 이를 준수하도록 규정합니다.

주요 내용:

- **최저임금 설정**: 각 주 정부는 지역별, 산업별로 최저임금을 설정합니다. 이는 생활비, 물가 수준, 경제 상황 등을 고려하여 결정됩니다.
- **최저임금 위원회**: 주 정부는 최저임금을 정기적으로 검토하고 조정하기 위해 최저임금 위원회를 구성할 수 있습니다. 위원회는 고용주와 근로자 대표, 정부 관계자로 구성됩니다.
- **법적 제재**: 고용주가 최저임금을 준수하지 않을 경우 법적 제재를 받을 수 있으며, 근로자는 미지급 임금에 대해 법적 구제를 받을 수 있습니다.

관련 규정 및 사례:

- **예외 규정**: 일부 소규모 산업이나 가정 근로자는 최저임금법 적용에서 제외될 수 있습니다.

- **최저임금 상승**: 인도 정부는 최근 몇 년간 인플레이션과 생활비 상승을 반영하여 최저임금을 꾸준히 인상해 왔습니다.

#인도 주요 지역(state)별 최저임금

Minimum Wages for States Across India (per month) (in INR)			
State	Unskilled	Skilled	Highly skilled
Andhra Pradesh Effective date: April 1, 2024	13,248.50 (Zone I) 12,498.50 (Zone II) 12,248.50 (Zone III)	15,248.50 (Zone I) 14,248.50 (Zone II) 12,748.50 (Zone III)	15,748 (Zone I) 14748 (Zone II) 13,248 (Zone III)
Arunachal Pradesh Effective date: April 1, 2023	6,600	7,200	NA
Delhi Effective date: October 1, 2023	17,494	21,215.00	NA
Gujarat Effective date: April 1, 2024	12,662 (Zone I) 12,376 (Zone II)	13,234 (Zone I) 12922(Zone II)	NA
Haryana Effective date: January 1, 2024	10,924	12,646.12 (Class A) 13,278.44 (Class B)	13,942.36
Maharashtra Effective date: January 1, 2024	13,089 (Zone I) 12,493 (Zone II) 11,896 (Zone III)	14,700 (Zone I) 14,104 (Zone II) 13,508 (Zone III)	NA
Uttar Pradesh Effective date: October 1, 2023	10,275	12,661	NA

2. 근로시간법 (Working Hours Act, 1961)

개요: 근로시간법은 근로자의 최대 근무 시간을 규정하고, 초과

근무에 대한 보상을 명시하여 근로자의 건강과 안전을 보호하는 것을 목적으로 합니다.

주요 내용:

- **근무 시간 제한**: 일반 근로자의 주당 근무 시간은 48 시간을 초과할 수 없습니다. 하루 최대 근무 시간은 9 시간으로 제한됩니다.
- **휴식 시간**: 근로자는 5 시간 근무 후 최소 30 분의 휴식 시간을 가져야 합니다.
- **초과 근무 보상**: 초과 근무 시 추가 보상이 주어져야 하며, 초과 근무 시간당 2 배의 임금을 지급해야 합니다.
- **주휴일 보장**: 근로자는 7 일 중 최소 1 일을 유급 주휴일로 보장받아야 합니다.

관련 규정 및 사례:

- **특수 근로 시간**: 특정 산업이나 직무에 따라 근로 시간 규정이 다르게 적용될 수 있습니다. 예를 들어, 의료업종이나 보안업종은 별도의 근로 시간 규정을 따릅니다.
- **유연 근무제**: 최근 인도에서는 재택근무와 같은 유연 근무제가 확산되면서, 근로시간법의 적용 방안에 대한 논의가 활발히 이루어지고 있습니다.

3. 산업분쟁법 (Industrial Disputes Act, 1947)

개요: 산업분쟁법은 산업 분쟁의 예방 및 해결을 위한 법률로, 노

사 관계의 원활한 운영을 도모하고 산업 평화를 유지하는 것을 목표로 합니다.

주요 내용:

- **분쟁 해결 절차**: 산업 분쟁이 발생할 경우 조정, 중재, 조정위원회를 통해 해결할 수 있습니다.
- **노동법원**: 산업 분쟁을 해결하기 위한 전문 법원이 있으며, 이 법원은 노사 간 분쟁을 공정하게 해결합니다.
- **파업 및 직장폐쇄 규정**: 파업과 직장폐쇄는 일정한 절차를 거쳐야 하며, 불법적인 파업과 직장폐쇄는 법적 제재를 받을 수 있습니다.
- **부당해고 보호**: 근로자가 부당하게 해고된 경우 산업분쟁법에 따라 구제를 받을 수 있으며, 복직 또는 보상을 요구할 수 있습니다.

관련 규정 및 사례:

- **노조 활동 보호**: 법은 노조 활동을 보호하며, 노조 가입이나 활동으로 인한 차별을 금지합니다.
- **집단 협상**: 대규모 기업에서는 노조와의 집단 협상이 일반적으로 이루어지며, 이를 통해 임금, 근로 조건 등이 결정됩니다.

4. 근로자의 재고용 보호법 (Employees' Provident Funds and Miscellaneous Provisions Act, 1952)

개요: 근로자의 재고용 보호법은 근로자의 퇴직 후 생활을 보장하

기 위한 법률로, 퇴직금과 연금 제도를 규정하고 있습니다. 이 법은 근로자가 은퇴 후에도 경제적 안정을 누릴 수 있도록 지원합니다.

주요 내용:

- **퇴직금 제도**: 근로자는 일정 기간 근무 후 퇴직할 때 퇴직금을 받을 권리가 있습니다. 퇴직금은 근로 기간과 마지막 월급을 기준으로 계산됩니다.
- **연금 제도**: 근로자가 일정 기간 이상 근무한 경우, 퇴직 후 매월 연금을 받을 수 있습니다. 이는 근로자의 노후 생활을 지원하기 위함입니다.
- **공제 및 적립**: 근로자의 월급에서 일정 비율을 공제하여 퇴직금과 연금을 위한 기금에 적립합니다. 고용주도 동일한 비율로 기여합니다.
- **사망 및 장애 혜택**: 근로자가 사망하거나 장애를 입은 경우, 가족에게 보상금이나 연금이 지급됩니다.

관련 규정 및 사례:

- **법적 보호**: 근로자는 퇴직금과 연금에 대한 권리를 보호받으며, 고용주는 이를 준수해야 합니다.
- **기금 운용**: 적립된 기금은 정부가 관리하며, 근로자의 은퇴 후 생활을 보장하기 위해 안정적으로 운용됩니다.

2. 규정 준수 방법

단계:

- **법률 교육**: 인사 담당자와 경영진에게 주요 노동법에 대한 교육을 실시합니다.
- **정책 수립**: 회사의 인사 정책과 절차를 노동법에 맞게 수립하고, 문서화합니다.
- **모니터링**: 법률 준수 여부를 정기적으로 모니터링하고, 필요한 경우 개선 조치를 취합니다.
- **보고 및 기록 유지**: 법적 요구 사항에 따라 각종 보고서를 작성하고, 기록을 유지합니다.

보상 및 혜택

경쟁력 있는 보상 패키지 설계

1. 보상 패키지 구성 요소

개요: 경쟁력 있는 보상 패키지는 직원의 동기 부여와 유지에 중요한 역할을 합니다. 보상 패키지는 기본급여 외에도 다양한 혜택과 인센티브를 포함해야 합니다.

구성 요소:

- **기본 급여**: 시장 경쟁력을 반영한 기본 급여.
- **보너스 및 인센티브**: 성과에 기반한 보너스와 인센티브 제도.

- **주식 옵션**: 특정 수준의 관리직 및 기술직에게 주식 옵션을 제공하여 장기적인 동기 부여.
- **퇴직금**: 법정 퇴직금 및 추가 퇴직 혜택.

2. 보상 패키지 설계 절차

단계:

- **시장 조사**: 동종 업계 및 지역의 보상 수준을 조사하여 벤치마킹합니다.
- **내부 평가**: 회사의 재무 상태와 보상 예산을 평가합니다.
- **보상 구조 설계**: 기본 급여, 보너스, 인센티브, 주식 옵션 등을 포함한 보상 구조를 설계합니다.
- **직원 피드백**: 보상 패키지에 대한 직원의 의견을 수렴하여 최종안을 조정합니다.
- **구현 및 커뮤니케이션**: 최종 보상 패키지를 직원들에게 명확히 설명하고, 이를 시행합니다.

복지 혜택 및 직원 만족도 증대 방안

1. 복지 혜택

개요: 복지 혜택은 직원의 삶의 질을 향상시키고, 조직에 대한 충성도를 높이는 데 중요한 역할을 합니다. 다양한 복지 혜택을 통해 직원 만족도를 높일 수 있습니다.

주요 혜택:

- **건강 보험**: 직원과 그 가족을 위한 종합 건강 보험 제공.
- **연금 제도**: 퇴직 후 생활을 보장하는 연금 제도.
- **휴가 및 휴직**: 유급 휴가, 병가, 출산 및 육아 휴직 등 다양한 휴가 제도.
- **직원 복지 프로그램**: 피트니스 프로그램, 스트레스 관리, 직원 상담 서비스 등.

2. 직원 만족도 증대 방안

개요: 직원 만족도는 조직의 성과와 직접적으로 연결됩니다. 다양한 방안을 통해 직원 만족도를 높일 수 있습니다.

주요 방안:

- **직무 만족도 조사**: 정기적으로 직무 만족도를 조사하고, 이를 바탕으로 개선 방안을 마련합니다.
- **커리어 개발 프로그램**: 직원의 성장과 발전을 지원하는 교육 및 훈련 프로그램 제공.
- **유연 근무제도**: 재택근무, 탄력근무제 등 유연한 근무 환경 제공.
- **팀 빌딩 활동**: 팀워크와 협업을 촉진하는 다양한 팀 빌딩 활동 조직.

법적으로 보장해야 하는 복리후생 항목

인도의 노동법은 직원의 기본 복지와 권리를 보호하기 위해 다양한 복리후생 항목을 법적으로 보장하고 있습니다. 주요 법적 보장 항목은 다음과 같습니다:

최저 임금 (Minimum Wage)

- **법적 근거**: Minimum Wages Act, 1948
- **설명**: 각 주에서 설정한 최소 임금을 직원에게 지급해야 합니다. 최저 임금은 생활비, 물가 수준, 경제 상황 등을 고려하여 결정됩니다.

근로 시간 및 초과 근무 수당 (Working Hours and Overtime)

- **법적 근거**: Factories Act, 1948 및 Shops and Establishments Act
- **설명**: 주당 최대 48 시간, 일일 최대 9 시간 근무를 규정하고 있으며, 초과 근무 시 추가 수당(통상 시급의 2 배)을 지급해야 합니다.

퇴직금 (Gratuity)

- **법적 근거**: Payment of Gratuity Act, 1972
- **설명**: 5 년 이상 근무한 직원에게 퇴직금을 지급해야 하며, 이는 근로 기간과 마지막 월급을 기준으로 계산됩니다.

연금 및 적립금 (Provident Fund and Pension)

- **법적 근거**: Employees' Provident Funds and Miscellaneous Provisions Act, 1952
- **설명**: 근로자의 월급에서 일정 비율을 공제하여 적립하며, 고용주도 동일한 비율로 기여합니다. 퇴직 후 매월 연금 형태로 지급됩니다.

휴가 (Leave)

- **법적 근거**: Factories Act, 1948 및 Shops and Establishments Act
- **설명**: 연차 유급 휴가, 병가, 출산휴가 등을 법적으로 보장합니다. 출산휴가는 Maternity Benefit Act, 1961 에 따라 최소 26 주를 보장합니다.

의료 보험 (Medical Insurance)

- **법적 근거**: Employees' State Insurance Act, 1948
- **설명**: 직원과 그 가족에게 의료 보험을 제공해야 하며, 이는 병원 치료, 사고 보상 등을 포함합니다.

보너스 (Bonus)

- **법적 근거**: Payment of Bonus Act, 1965
- **설명**: 연간 최소 8.33%의 보너스를 지급해야 하며, 이는 회사의 이익에 따라 최대 20%까지 지급될 수 있습니다.

선택적으로 결정할 수 있는 복리후생 항목

회사는 법적 의무 외에도 다양한 선택적 복리후생을 제공하여 직

원 만족도를 높이고, 기업 경쟁력을 강화할 수 있습니다. 주요 선택적 항목은 다음과 같습니다:

추가 건강 혜택 (Additional Health Benefits)

- **설명**: 법적 의료 보험 외에 추가적인 건강 보험, 종합 건강 검진, 정신 건강 지원 프로그램 등을 제공합니다.

교육 및 훈련 (Education and Training)

- **설명**: 직원의 역량 강화를 위한 교육 프로그램, 직무 관련 훈련, 학비 보조 등을 제공합니다. 이는 직원의 기술 향상과 경력 개발을 지원합니다.

유연 근무제 (Flexible Working Hours)

- **설명**: 재택 근무, 유연 근무 시간, 탄력 근무제 등 직원의 근무 환경을 유연하게 조정할 수 있는 제도를 도입합니다.

사내 복지 시설 (On-site Amenities)

- **설명**: 회사 내에 체육관, 구내 식당, 탁아 시설 등을 제공하여 직원의 복지를 향상시킵니다.

보육 지원 (Childcare Support)

- **설명**: 어린 자녀를 둔 직원들을 위한 보육비 지원 또는 사내 보육 시설을 운영합니다.

직원 복지 프로그램 (Employee Welfare Programs)

- **설명**: 체육 활동, 문화 행사, 휴가비 지원, 팀 빌딩 활동 등 다양한 복지 프로그램을 운영합니다.

교통비 지원 (Transportation Allowance)

- **설명**: 출퇴근 교통비 지원, 셔틀 서비스 제공 등을 통해 직원의 교통 편의를 도모합니다.

장기 근속 보상 (Long Service Awards)

- **설명**: 오랜 기간 근무한 직원에게 특별 보너스, 휴가, 기념품 등을 제공하여 장기 근속을 장려합니다.

결론

인도에서의 직원 고용 및 관리는 채용 전략, 근로 계약, 법적 규제 준수, 보상 및 혜택 등 다양한 요소를 포함합니다. 각 단계에서 철저한 준비와 관리가 필요하며, 이를 통해 조직은 우수한 인재를 확보하고 유지할 수 있습니다. 또한, 직원 만족도를 높이는 다양한 방안을 통해 조직의 성과와 지속 가능성을 높일 수 있습니다.

6. 마케팅 및 판매 전략

디지털 마케팅

소셜 미디어 마케팅 전략

1. 소셜 미디어 플랫폼 선택

개요: 인도에서는 다양한 소셜 미디어 플랫폼이 활발히 사용되고 있습니다. 각 플랫폼의 특성을 이해하고, 적절한 전략을 수립하는 것이 중요합니다.

주요 플랫폼:

- Facebook: 인도에서 가장 널리 사용되는 소셜 미디어 플랫폼으로, 다양한 연령층과 지역의 사용자에게 접근할 수 있습니다.
- Instagram: 젊은 층이 많이 사용하는 플랫폼으로, 비주얼 콘텐츠를 활용한 마케팅에 효과적입니다.
- X: 실시간 정보 공유와 고객 서비스에 적합하며, 트렌드와 이벤트에 신속히 대응할 수 있습니다.
- LinkedIn: 비즈니스 및 전문 네트워킹을 위한 플랫폼으로, B2B 마케팅에 효과적입니다.

2. 콘텐츠 전략 수립

개요: 소셜 미디어 마케팅의 핵심은 콘텐츠입니다. 타겟 고객에게 매력적이고 유익한 콘텐츠를 제공하여 참여도를 높이는 것이 중요합니다.

전략:

- **브랜드 스토리텔링**: 브랜드의 이야기를 통해 고객과 감정적으로 연결됩니다. 이는 브랜드 충성도를 높이는 데 효과적입니다.
- **비주얼 콘텐츠**: 사진, 비디오, 인포그래픽 등 비주얼 콘텐츠를 활용하여 시각적인 관심을 끕니다.
- **사용자 생성 콘텐츠(UGC)**: 고객이 생성한 콘텐츠를 공유하여 신뢰성과 참여도를 높입니다.
- **라이브 스트리밍**: 실시간 방송을 통해 고객과의 직접 소통을 강화하고, 이벤트나 신제품 발표 등에 활용합니다.

3. 참여도 및 분석

개요: 소셜 미디어 마케팅의 성공을 위해서는 고객 참여도를 지속적으로 모니터링하고, 분석하여 전략을 조정하는 것이 필요합니다.

전략:

- **댓글 및 메시지 관리**: 고객의 피드백에 신속하게 대응하고, 긍정적인 관계를 구축합니다.
- **소셜 미디어 분석 도구**: Google Analytics, Hootsuite, Sprout Social 등 도구를 활용하여 성과를 분석합니다.
- **A/B 테스트**: 다양한 콘텐츠와 광고를 테스트하여 가장 효과적인 방안을 찾습니다.

SEO 및 콘텐츠 마케팅

1. 검색 엔진 최적화(SEO)

개요: SEO는 검색 엔진 결과 페이지(SERP)에서 웹사이트의 가시성을 높이는 데 중요한 역할을 합니다. 인도에서는 Google이 주요 검색 엔진입니다.

전략:

- **키워드 연구**: 타겟 고객이 사용하는 주요 키워드를 연구하고, 이를 콘텐츠에 반영합니다.
- **온페이지 SEO**: 제목, 메타 설명, 헤더 태그, 이미지 ALT 태그 등을 최적화하여 검색 엔진 크롤러가 쉽게 인식하도록 합니다.
- **링크 빌딩**: 고품질 백링크를 구축하여 웹사이트의 권위와 신뢰도를 높입니다.
- **모바일 최적화**: 인도에서는 모바일 사용자가 많기 때문에, 모바일 친화적인 웹사이트를 구축하는 것이 중요합니다.

2. 콘텐츠 마케팅

개요: 콘텐츠 마케팅은 고객에게 가치 있는 정보를 제공하여 브랜드 인지도와 신뢰를 구축하는 데 중점을 둡니다.

전략:

- **블로그 작성**: 정기적으로 블로그를 작성하여 고객에게 유용한 정보를 제공합니다. 이는 SEO 에도 긍정적인 영향을 미칩니다.
- **이북 및 백서**: 심도 있는 정보를 제공하는 이북이나 백서를 통해 전문가로서의 이미지를 구축합니다.
- **웨비나 및 온라인 세미나**: 교육적인 웨비나를 통해 고객과 직접 소통하고, 브랜드에 대한 신뢰를 높입니다.
- **비디오 콘텐츠**: 튜토리얼, 제품 리뷰, 고객 인터뷰 등 다양한 비디오 콘텐츠를 제작하여 고객의 관심을 끌고, 참여도를 높입니다.

온라인 광고 방법

1. 검색 엔진 광고(SEA)

개요: 검색 엔진 광고는 고객이 특정 키워드를 검색할 때 광고를 노출시켜 웹사이트 방문을 유도하는 효과적인 방법입니다. Google Ads가 가장 많이 사용됩니다.

전략:

- **키워드 선택**: 타겟 키워드를 선정하고, 이를 기반으로 광고 캠페인을 설정합니다.
- **광고 작성**: 키워드와 관련된 매력적인 광고 문구를 작성하여 클릭률을 높입니다.

- **광고 확장**: 사이트 링크, 콜아웃, 위치 확장 등을 활용하여 광고의 가시성과 효과를 극대화합니다.
- **예산 관리**: 광고 예산을 효율적으로 관리하고, ROI 를 최적화하기 위해 정기적으로 성과를 모니터링합니다.

2. 디스플레이 광고

개요: 디스플레이 광고는 웹사이트, 앱, 소셜 미디어 플랫폼 등 다양한 디지털 채널에 배너, 이미지, 비디오 등의 형태로 광고를 노출시키는 방법입니다.

전략:

- **타겟팅 옵션**: 인구통계학적 특성, 관심사, 행동 기반 타겟팅을 활용하여 광고를 노출합니다.
- **광고 디자인**: 시각적으로 매력적인 광고 디자인을 통해 고객의 관심을 끌고, 클릭을 유도합니다.
- **리마케팅**: 웹사이트 방문 이력이 있는 사용자에게 광고를 다시 노출하여 전환율을 높입니다.
- **광고 네트워크 활용**: Google Display Network(GDN), Facebook Audience Network 등 주요 네트워크를 활용하여 광고를 배포합니다.

3. 소셜 미디어 광고

개요: 소셜 미디어 광고는 Facebook, Instagram, LinkedIn, Twitter 등 소셜 미디어 플랫폼을 통해 타겟 고객에게 광고를 노출하는 방법입니다.

전략:

- **타겟팅 옵션**: 소셜 미디어 플랫폼의 타겟팅 기능을 활용하여 특정 인구통계학적 그룹, 관심사, 행동을 기반으로 광고를 노출합니다.
- **광고 형식**: 이미지 광고, 비디오 광고, 슬라이드쇼 광고, 스토리 광고 등 다양한 형식을 활용하여 광고를 제작합니다.
- **광고 예산 관리**: 소셜 미디어 광고는 CPC(클릭당 비용), CPM(노출당 비용) 등 다양한 예산 관리 옵션을 제공하므로, 목표에 맞는 예산 관리 전략을 수립합니다.
- **성과 분석**: 소셜 미디어 플랫폼의 분석 도구를 활용하여 광고 성과를 모니터링하고, 개선점을 도출합니다.

현지 시장 진입 전략

지역별 시장 진입 전략

1. 북부 인도 (델리 NCR)

개요: 델리 NCR(국가 수도 지역)은 인도의 정치적, 경제적 중심지로, 다양한 산업이 발달해 있습니다. 고소득층과 중산층이 많이 거주하며, 소비력이 높습니다.

전략:

- **프리미엄 제품 및 서비스**: 고소득층을 대상으로 프리미엄 제품과 서비스를 제공하여 높은 마진을 확보합니다.

- **B2B 마케팅**: 델리 NCR 에는 많은 대기업과 중소기업이 위치해 있어, B2B 마케팅을 통해 기업 고객을 확보합니다.
- **현지화**: 현지 문화와 언어에 맞춘 마케팅 메시지를 개발하여 고객과의 소통을 강화합니다.

2. 서부 인도 (뭄바이)

개요: 뭄바이는 인도의 금융 및 상업 중심지로, 다양한 비즈니스 기회가 있습니다. 금융 서비스, 엔터테인먼트, IT 등 여러 산업이 활발히 운영되고 있습니다.

전략:

- **금융 서비스 및 IT**: 금융 서비스와 IT 솔루션을 제공하는 기업에 초점을 맞추어 마케팅을 전개합니다.
- **네트워킹 이벤트**: 비즈니스 네트워킹 이벤트와 컨퍼런스를 통해 잠재 고객과 파트너를 만납니다.
- **미디어 활용**: 뭄바이는 인도의 엔터테인먼트 산업 중심지이므로, 미디어와 협력하여 브랜드 인지도를 높입니다.

3. 남부 인도 (방갈로르)

개요: 방갈로르는 인도의 IT 허브로, 많은 글로벌 IT 기업들이 위치해 있습니다. 젊고 기술에 정통한 인구가 많아 기술 기반 제품과 서비스의 수요가 높습니다.

전략:

- **기술 기반 마케팅**: IT 및 기술 기반 제품과 서비스를 홍보하여 기술에 정통한 고객을 타겟팅합니다.
- **스타트업 생태계**: 방갈로르는 활발한 스타트업 생태계를 가지고 있어, 스타트업과의 협업 및 네트워킹을 강화합니다.
- **디지털 채널 활용**: 디지털 채널을 적극 활용하여 젊은 인구를 대상으로 마케팅을 전개합니다.

4. 동부 인도 (콜카타)

개요: 콜카타는 인도의 문화적 중심지로, 다양한 예술과 문화 활동이 활발히 이루어지고 있습니다. 중소기업과 전통 산업이 많이 분포되어 있습니다.

전략:

- **문화 기반 마케팅**: 현지 문화와 예술을 반영한 마케팅 캠페인을 통해 브랜드를 홍보합니다.
- **중소기업 타겟팅**: 중소기업을 대상으로 한 B2B 마케팅을 강화하여 비즈니스 기회를 확대합니다.
- **현지 네트워크 활용**: 현지 네트워크를 활용하여 지역 사회와의 관계를 구축하고, 브랜드 인지도를 높입니다.

파트너십 및 제휴 전략

1. 현지 파트너십

개요: 현지 파트너와의 협력은 시장 진입을 용이하게 하고, 현지 시장에 대한 이해를 높일 수 있습니다. 이는 유통, 마케팅, 판매

등 다양한 분야에서 이루어질 수 있습니다.

전략:

- **유통 파트너**: 현지 유통 파트너를 통해 제품과 서비스를 효율적으로 배포하고, 현지 시장에 빠르게 진입합니다.
- **마케팅 파트너**: 현지 마케팅 에이전시와 협력하여 현지화된 마케팅 전략을 수립하고, 효과적으로 실행합니다.
- **공동 프로모션**: 현지 브랜드와 공동 프로모션을 통해 시너지 효과를 창출하고, 고객 기반을 확장합니다.

2. 글로벌 제휴

개요: 글로벌 제휴는 현지 시장에 대한 접근성을 높이고, 브랜드 인지도를 글로벌 수준으로 확장하는 데 도움이 됩니다.

전략:

- **글로벌 브랜드와 제휴**: 글로벌 브랜드와의 제휴를 통해 현지 시장에서 신뢰성과 인지도를 높입니다.
- **기술 파트너십**: 기술 기반 제품이나 서비스를 제공하는 경우, 글로벌 기술 파트너와 협력하여 혁신적인 솔루션을 제공할 수 있습니다.
- **시장 조사 및 데이터 공유**: 글로벌 제휴를 통해 시장 조사 데이터와 인사이트를 공유하고, 전략적 의사 결정을 지원합니다.

제품/서비스 홍보 방법

효과적인 프로모션 및 캠페인

1. 프로모션 전략

개요: 효과적인 프로모션 전략은 제품과 서비스의 판매를 촉진하고, 브랜드 인지도를 높이는 데 중요합니다.

전략:

- **할인 및 쿠폰**: 기간 한정 할인, 쿠폰 코드 제공 등을 통해 구매를 유도합니다.
- **경품 행사**: 소셜 미디어와 연계한 경품 행사를 통해 참여도를 높이고, 브랜드 인지도를 확장합니다.
- **패키지 딜**: 여러 제품을 묶어 할인된 가격에 제공하여 고객의 구매를 유도합니다.
- **고객 리뷰 및 추천**: 만족한 고객의 리뷰와 추천을 활용하여 신뢰성을 높이고, 새로운 고객을 유치합니다.

2. 마케팅 캠페인

개요: 마케팅 캠페인은 특정 목표를 달성하기 위해 집중적으로 전개되는 마케팅 활동입니다. 성공적인 캠페인은 브랜드 인지도를 높이고, 판매를 촉진합니다.

전략:

- **브랜드 캠페인**: 브랜드의 핵심 메시지를 전달하고, 고객과 감정적으로 연결되는 캠페인을 전개합니다.

- **제품 출시 캠페인**: 신제품 출시와 동시에 집중적인 마케팅 활동을 전개하여 초기 판매를 촉진합니다.
- **시즌별 캠페인**: 연중 주요 시즌(예: 축제 시즌, 연말연시 등)에 맞춰 특별 캠페인을 전개하여 판매를 촉진합니다.
- **이벤트 마케팅**: 현지 이벤트와 연계한 마케팅 활동을 통해 고객 참여를 유도하고, 브랜드 인지도를 높입니다.

브랜드 인지도 제고 전략

1. 브랜드 스토리텔링

개요: 브랜드 스토리텔링은 브랜드의 가치를 고객에게 효과적으로 전달하는 방법입니다. 감정적인 연결을 통해 고객 충성도를 높일 수 있습니다.

전략:

- **브랜드 역사**: 브랜드의 창립 배경, 비전, 미션 등을 스토리로 풀어내어 고객과 공유합니다.
- **고객 이야기**: 고객의 성공 사례나 감동적인 이야기를 통해 브랜드의 가치를 강조합니다.
- **비하인드 스토리**: 제품 개발 과정, 직원들의 이야기 등을 통해 브랜드의 인간적인 면모를 부각합니다.

2. 브랜드 일관성 유지

개요: 일관된 브랜드 메시지와 이미지는 고객에게 신뢰를 주고,

브랜드 인지도를 강화하는 데 중요합니다.

전략:

- **브랜드 가이드라인**: 로고, 색상, 폰트, 톤앤매너 등 일관된 브랜드 가이드라인을 수립하고, 모든 마케팅 활동에서 이를 준수합니다.
- **통합 마케팅 커뮤니케이션**: 다양한 채널에서 일관된 메시지를 전달하여 브랜드 인지도를 높입니다.
- **고객 경험 관리**: 모든 접점에서 고객에게 일관된 브랜드 경험을 제공하여 신뢰를 구축합니다.

3. 브랜드 인플루언서 활용

개요: 인플루언서는 고객에게 영향력을 미치는 중요한 역할을 합니다. 인플루언서를 활용한 마케팅은 브랜드 인지도를 효과적으로 높일 수 있습니다.

- **전략**:
- **인플루언서 선정**: 브랜드 가치와 일치하는 인플루언서를 선정하여 협업을 진행합니다.
- **캠페인 협력**: 인플루언서와 공동 캠페인을 기획하고, 소셜 미디어를 통해 확산시킵니다.
- **신뢰 구축**: 인플루언서의 진정성 있는 추천을 통해 고객의 신뢰를 얻습니다.

결론

효과적인 마케팅 및 판매 전략은 디지털 마케팅, 현지 시장 진입 전략, 제품/서비스 홍보 방법 등 다양한 요소를 포함합니다. 각 단계에서 철저한 준비와 전략적 접근이 필요하며, 이를 통해 기업은 인도 시장에서 성공적으로 브랜드를 구축하고, 지속 가능한 성장을 이룰 수 있습니다.

Ⅱ. 인도부동산

1. 인도의 부동산 시장 개관

(1)인도 부동산 시장의 현황

인도의 부동산 시장은 그 규모와 다양성에서 세계적으로 주목받고 있습니다. 델리 NCR, 뭄바이, 벵갈루루, 첸나이 등 주요 도시들은 경제 활동의 중심지로서, 주거용, 상업용, 산업용 부동산 모두에서 활발한 거래가 이루어지고 있습니다. 예를 들어, 델리 NCR 지역은 정치와 경제의 중심지로서 높은 부동산 수요와 가격 상승을 기록하고 있습니다. 이 지역은 인도의 수도인 뉴델리와 그 주변 지역으로 구성되어 있어 정치적 중요성과 경제적 활동이 집중되는 곳입니다.

뭄바이는 인도의 금융과 상업의 중심지로, 상업용 부동산 시장이 매우 활발합니다. 뭄바이의 상업 지구인 BKC(Bandra-Kurla Complex)와 Nariman Point는 높은 임대료와 거래량을 자랑하며, 글로벌 기업들의 본사가 위치해 있습니다. 이들 지역은 인도의 경제 성장과 함께 부동산 시장의 핵심 지구로 발전하고 있습니다.

벵갈루루는 IT와 기술 산업의 중심지로, 주거용 및 상업용 부동산 모두에서 큰 성장을 보이고 있습니다. 특히 벵갈루루의 Whitefield와 Electronic City 지역은 IT 기업들이 집중된 곳으로, 많은 기술 인재들이 거주하고 있습니다. 이 지역은 인도의 실리콘밸리로 불리며, 기술 산업의 발전과 함께 부동산 시장도 급성장하고 있습니다.

첸나이는 남인도의 경제 중심지로, 특히 자동차 산업과 해운업이 발달해 있습니다. 첸나이의 Sriperumbudur와 Oragadam 지역은 주요 산업 클러스터로, 많은 다국적 기업들이 공장을 운영하고 있습니다. 이들 지역은 인도의 제조업 허브로, 다양한 산업 활동이 이루어지고 있습니다.

(2)주요 경제 지표 및 부동산 트렌드

인도의 경제 성장률은 최근 몇 년간 꾸준히 상승하고 있습니다. 2020년대 초반부터 인도는 연평균 6-7%의 GDP 성장률을 기록하며, 세계에서 가장 빠르게 성장하는 경제 중 하나로 자리 잡고 있습니다. 이러한 경제 성장은 부동산 시장에도 긍정적인 영향을 미치고 있습니다. 예를 들어, GDP 성장률이 높아지면 주택 수요와 상업용 부동산 수요도 함께 증가하는 경향이 있습니다. 이는 인도 경제의 기초 체력이 튼튼하다는 것을 의미하며, 투자자들에게 신뢰감을 줍니다.

또한, 정부의 스마트 시티 프로젝트, 디지털 인디아, 메이크 인 인디아와 같은 정책들은 부동산 시장의 트렌드를 이끄는 주요 요인입니다. 스마트 시티 프로젝트는 인도의 주요 도시들을 스마트하게 변화시키는 목표로, 도시 인프라를 개선하고 기술을 접목한 현대적인 도시를 구축하는 프로젝트입니다. 이로 인해 부동산 시장은 새로운 개발 기회를 창출하고 있습니다.

디지털 인디아 프로젝트는 인도 전역에 디지털 인프라를 구축하고, 전자 정부 서비스를 확대하여 부동산 거래의 투명성과 효율성을 높이고 있습니다. 이러한 프로젝트들은 인프라 개선과 기술 혁신을 통해 부동산 시장의 활성화를 도모하고 있습니다.

메이크 인 인디아 정책은 제조업을 활성화하고 외국인 투자를 유치하기 위한 정책으로, 인도 전역에 새로운 산업 클러스터를 개발하고 있습니다. 이는 산업용 부동산 수요를 증가시키고, 부동산 시장의 성장을 촉진하고 있습니다.

(3)정부 정책 및 규제

정부의 정책과 규제는 부동산 시장의 안정성과 투명성을 확보하는 데 중요한 역할을 합니다. 인도 정부는 부동산 시장의 투명성을 높이기 위해 다양한 법률과 규제를 도입하고 있습니다. 예를 들어, RERA(Real Estate Regulatory Authority) 법안은 부동산 거래의 투명성과 신뢰성을 높이는 데 큰 기여를 하고 있습니다. 이 법안은 부동산 개발자와 구매자 간의 권리와 의무를 명확히 하고, 분쟁 발생 시 신속한 해결을 도모합니다.

또한, 정부는 외국인 투자를 촉진하기 위해 다양한 인센티브를 제공하고 있습니다. 인도 정부는 외국인 투자자들에게 부동산 시장에 대한 신뢰를 높이기 위해 투명한 법적 절차와 규제를 마련하고 있습니다. 이는 부동산 시장에 대한 글로벌 투자자들의 신뢰를 높이고, 인도 부동산 시장을 더욱 활성화시키는 데 중요한 역할을 합니다.

정부는 또한 부동산 거래 시 세금과 관련된 규제를 명확히 하고 있습니다. 주요 세금으로는 GST(Goods and Services Tax), Stamp Duty, Property Tax 등이 있으며, 각 세금의 적용 범위와 납부 절차를 정확히 이해하고 준수하는 것이 중요합니다. 이러한 규제들은 부동산 거래의 투명성과 공정성을 확보하는 데 중요한 역할을 합니다.

2. 토지 분양 및 매매

(1)토지 분양 및 매매 절차

인도에서 토지를 분양받거나 매매하려면 복잡한 절차를 이해하고 따라야 합니다. 첫 번째 단계는 토지 조사입니다. 이는 토지의 법적 상태, 소유권, 지목 등을 확인하는 과정입니다. 이 과정에서는 토지의 과거 소유자 기록, 등기부 등본, 법적 분쟁 여부 등을 철저히 조사해야 합니다. 예를 들어, 델리 NCR 지역의 경우, 토지의 소유권과 관련된 법적 문제가 자주 발생할 수 있으므로 사전에 철저한 조사가 필요합니다.

다음 단계는 계약서 작성입니다. 계약서는 매수인과 매도인 간의 권리와 의무를 명확히 규정하는 중요한 문서입니다. 계약서에는 거래 조건, 가격, 지불 방법, 소유권 이전 절차 등이 포함되어야 합니다. 이 과정에서는 법률 전문가의 조언을 받는 것이 중요합니다. 계약서 작성 시, 거래 조건을 명확히 하고, 양 당사자가 동의한 모든 조건을 문서화해야 합니다.

법적 검토도 중요한 단계입니다. 이는 토지 거래의 법적 문제를 예방하고, 거래의 안전성을 확보하는 과정입니다. 법적 검토 과정에서는 토지의 법적 상태, 소유권, 지목 등을 재확인하고, 필요시 법률적 조치를 취합니다. 예를 들어, 뭄바이 지역의 경우, 해안가 토지의 법적 상태와 환경 규제를 철저히 검토해야 합니다.

마지막 단계는 정부 승인입니다. 인도에서는 토지 거래 시 정부의 승인이 필요합니다. 이는 거래의 투명성과 합법성을 보장하기 위한 절차입니다. 승인 절차는 지역에 따라 다를 수 있으며, 이를 정확히 이해하고 준비하는 것이 중요합니다. 델리 NCR 지역의 경우, 정부 승인을 받기 위한 절차가 복잡할 수 있습니다.

(2)주요 지역 분석 (델리, 뭄바이, 첸나이, 벵갈루루 등)

각 지역마다 부동산 시장의 특성이 다릅니다. 델리 NCR은 정치와 경제의 중심지로서 높은 수요와 가격을 자랑하며, 상업용 부동산과 주거용 부동산 모두에서 활발한 거래가 이루어지고 있습니다. 특히 델리 NCR 지역은 인도의 수도인 뉴델리와 그 주변 지역으로 구성되어 있어 정치적 중요성과 경제적 활동이 집중되는 곳입니다. 이 지역은 고급 주거지와 중산층 주거지가 혼재되어 있으며, 다양한 주거 형태와 가격대가 존재합니다.

뭄바이는 인도의 금융과 상업의 중심지로, 특히 상업용 부동산 시장이 매우 활발합니다. 뭄바이의 상업 지구인 BKC(Bandra-Kurla Complex)와 Nariman Point는 높은 임대료와 거래량을 자랑하며, 글로벌 기업들의 본사가 위치해 있습니다. 이 지역들은 금융, 상업, 서비스 산업의 중심지로서, 상업용 부동산 수요가 꾸준히 증가하고 있습니다.

첸나이는 남인도의 경제 중심지로, 특히 자동차 산업과 해운업이 발달해 있습니다. 첸나이의 Sriperumbudur와 Oragadam 지역은 주요 산업 클러스터로, 많은 다국적 기업들이 공장을 운영하고 있습니다. 이들 지역은 인도의 제조업 허브로, 다양한 산업 활동이 이루어지고 있습니다.

벵갈루루는 IT와 기술 산업의 중심지로, 주거용 및 상업용 부동산 모두에서 큰 성장을 보이고 있습니다. 특히 벵갈루루의 Whitefield와 Electronic City 지역은 IT 기업들이 집중된 곳으로, 많은 기술 인재들이 거주하고 있습니다. 이 지역은 인도의 실리콘밸리로 불리며, 기술 산업의 발전과 함께 부동산 시장도 급성장하고 있습니다.

(3)법적 고려사항 및 주의점

부동산 거래에서 법적 문제를 피하기 위해서는 정확한 서류 작업과 법적 검토가 필수적입니다. 특히 토지 소유권의 명확성, 거래 허가, 세금 납부 등을 철저히 확인해야 합니다. 인도에서는 토지 소유권이 명확하지 않은 경우가 많아, 이를 사전에 철저히 검토하는 것이 중요합니다. 또한, 거래 시 계약서에 명시된 조건을 철저히 이해하고, 모든 조건이 법적으로 유효한지 확인해야 합니다. 거래 과정에서 발생할 수 있는 법적 분쟁을 예방하기 위해서는 법률 전문가의 조언을 받는 것이 중요합니다.

법적 고려사항으로는 첫째, 토지의 소유권 확인이 있습니다. 이는 등기부 등본, 소유권 증명서 등을 통해 소유권의 명확성을 확인하는 과정입니다. 둘째, 토지의 용도 변경 허가를 받는 것이 중요합니다. 인도에서는 토지의 용도 변경 시 정부의 승인이 필요하며, 이를 철저히 준비해야 합니다. 셋째, 세금 납부와 관련된 법적 문제를 해결하는 것이 중요합니다. 거래 시 발생하는 GST, Stamp Duty, Property Tax 등을 정확히 이해하고, 적법하게 납부해야 합니다.

(4)성공 사례 및 실패 사례 분석

성공적인 사례로는 글로벌 기업들이 인도에 진출하여 토지를 매입하고 공장을 설립한 경우를 들 수 있습니다. 예를 들어, 글로벌 자동차 제조업체인 현대자동차는 첸나이에 대규모 공장을 설립하여 성공적인 운영을 이어가고 있습니다. 이는 철저한 시장 조사와 법적 검토, 정부와의 협력 등이 성공 요인으로 작용한 사례입니다. 현대자동차는 인도 시장의 성장 가능성을 보고, 첸나이에 공장을 설립하여 인도의 자동차 산업 발전에 기여하고 있습니다.

반면, 실패 사례로는 법적 검토를 소홀히 하여 소유권 분쟁에 휘말린 경우를 들 수 있습니다. 한 다국적 기업은 벵갈루루에서 토지를 매입한 후, 이전 소유자의 소유권 분쟁으로 인해 큰 손실을 입었습니다. 이는 사전에 철저한 법적 검토와 조사를 통해 예방할 수 있는 사례였습니다. 이 기업은 법적 검토를 소홀히 한 결과, 소유권 분쟁에 휘말려 많은 시간과 비용을 소모하게 되었습니다.

3. 공장 인수 및 산업용 부동산

(1)산업용 부동산 시장 개요

인도의 산업용 부동산 시장은 다양한 산업 분야의 발전과 함께 성장하고 있습니다. 자동차, 전자, 화학, 식품 등 다양한 산업이 인도에서 활발히 운영되고 있으며, 이에 따른 산업용 부동산 수요도 증가하고 있습니다. 주요 산업 클러스터는 델리 NCR, 첸나이, 벵갈루루, 뭄바이 등 주요 도시 주변에 위치해 있습니다. 이러한 지역들은 인도의 경제 성장과 함께 산업용 부동산 시장의 주요 동력으로 작용하고 있습니다.

산업용 부동산 시장은 공장, 창고, 물류센터 등 다양한 형태로 구성되어 있습니다. 이러한 부동산은 기업의 생산 및 물류 활동을 지원하는 중요한 인프라로, 효율적인 운영을 위해서는 적절한 입지 선정이 중요합니다. 예를 들어, 델리 NCR 지역은 북인도의 물류 허브로, 많은 기업들이 이 지역에 물류센터를 운영하고 있습니다. 또한, 벵갈루루의 산업용 부동산 시장은 IT 산업의 발전과 함께 급성장하고 있으며, 많은 기술 기업들이 연구개발 센터와 공장을 운영하고 있습니다.

(2)공장 인수 절차 및 주요 고려사항

공장을 인수하려는 기업은 다음과 같은 절차를 따라야 합니다. 첫 번째 단계는 시장 조사입니다. 이는 인수 대상 공장의 위치, 규모, 운영 현황 등을 파악하는 과정입니다. 이 과정에서는 현지 시장의 특성, 경쟁 상황, 인프라 등을 철저히 조사해야 합니다. 예를 들어,

첸나이 지역의 경우, 자동차 산업이 발달해 있어, 관련 기업들의 공장 위치와 운영 현황을 조사하는 것이 중요합니다.

다음 단계는 법적 검토입니다. 이는 공장의 소유권, 환경 규제, 노동법 준수 여부 등을 확인하는 과정입니다. 법적 검토 과정에서는 공장의 법적 상태를 확인하고, 필요한 법적 절차를 진행합니다. 예를 들어, 뭄바이 지역의 경우, 해안가 공장의 환경 규제를 철저히 검토해야 합니다. 이는 공장의 운영에 중요한 영향을 미칠 수 있습니다.

세 번째 단계는 재정 검토입니다. 이는 공장의 재무 상태, 운영 비용, 수익성 등을 평가하는 과정입니다. 이 과정에서는 공장의 재무제표를 분석하고, 미래의 수익성을 예측합니다. 또한, 인수 자금 조달 계획을 수립하고, 금융 전문가의 조언을 받는 것이 중요합니다. 예를 들어, 델리 NCR 지역의 경우, 높은 임대료와 운영 비용을 고려한 재정 검토가 필요합니다.

마지막 단계는 계약서 작성입니다. 계약서에는 공장 인수의 조건, 가격, 지불 방법, 소유권 이전 절차 등이 포함됩니다. 이 과정에서는 법률 전문가의 조언을 받는 것이 중요합니다. 계약서 작성 시, 거래 조건을 명확히 하고, 양 당사자가 동의한 모든 조건을 문서화해야 합니다. 또한, 계약서에 명시된 조건이 법적으로 유효한지 확인하는 것도 중요합니다.

(3)지역별 산업 클러스터 분석

각 지역별 산업 클러스터는 그 지역의 경제 활동과 산업 특성에 따라 다릅니다. 델리 NCR 지역은 북인도의 물류와 제조업의 중심지로, 많은 다국적 기업들이 공장을 운영하고 있습니다. 특히 Manesar와 Noida 지역은 주요 산업 클러스터로, 자동차, 전자, 화학 산업이 집중되어 있습니다. 이들 지역은 인도의 제조업 허브로, 다양한 산업 활동이 이루어지고 있습니다.

Delhi NCR_Greater Noida Industry Area

첸나이는 남인도의 자동차 산업 중심지로, 많은 글로벌 자동차 제조업체들이 공장을 운영하고 있습니다. Sriperumbudur와 Oragadam 지역은 주요 자동차 클러스터로, 현대자동차, 포드, 닛산 등 다국적 기업들이 위치해 있습니다. 이들 지역은 인도의 자동차 산업 발전에 중요한 역할을 하고 있습니다.

Tamil Nadu_Chennai Area

벵갈루루는 IT와 기술 산업의 중심지로, 많은 기술 기업들이 이 지역에 연구개발 센터와 공장을 운영하고 있습니다. Whitefield와 Electronic City 지역은 주요 기술 클러스터로, 글로벌 IT 기업들이 집중되어 있습니다. 이들 지역은 인도의 실리콘밸리로 불리며, 기술 산업의 발전과 함께 부동산 시장도 급성장하고 있습니다.

Bangalore Area

(4)세금 및 법적 규제

공장을 인수할 때는 세금 및 법적 규제를 철저히 이해하고 따라야 합니다. 인도에서는 각 주마다 세금 및 규제가 다르기 때문에, 인수 대상 공장이 위치한 주의 법적 요건을 철저히 확인해야 합니다. 주요 세금으로는 GST(Goods and Services Tax), Stamp Duty, Property Tax 등이 있으며, 각 세금의 적용 범위와 납부 절차를 정확히 이해해야 합니다.

또한, 환경 규제와 노동법도 중요한 고려사항입니다. 인도에서는 환경 보호와 노동자의 권리를 보호하기 위한 다양한 법적 규제가 존재합니다. 이를 준수하지 않을 경우, 법적 분쟁이나 벌금 등의 문제가 발생할 수 있습니다. 예를 들어, 첸나이 지역의 경우, 자동차 공장의 환경 규제를 철저히 준수해야 합니다. 이는 공장의 운영에 중요한 영향을 미칠 수 있습니다.

(5)공장 인수 및 산업용 부동산 관련 인허가 및 라이센스

인도에서 공장을 인수하거나 산업용 부동산을 운영하기 위해서는 여러 가지 인허가와 라이센스가 필요합니다. 이는 공장 운영의 합법성을 보장하고, 환경 보호, 안전, 노동법 준수 등을 위해 필수적입니다. 주요 인허가와 라이센스는 다음과 같습니다:

1) 공장 등록 (Factory Registration)

법적 근거: Factories Act, 1948

필요 요건:

- **공장 면허**: 주 노동부(Department of Labour)에서 발급.
- **절차**: 신청서 제출 후 현장 검사, 요건 충족 시 면허 발급.
- **요건**: 공장 설립, 운영에 필요한 기본 안전, 위생 조건 충족.

2) 환경 허가 (Environmental Clearance)

법적 근거: Environment Protection Act, 1986

필요 요건:

- **환경영향평가 (EIA)**: 특정 규모 이상의 공장 및 프로젝트는 환경영향평가를 받아야 함.
- **환경관리계획 (EMP)**: 공장 운영으로 인한 환경 영향을 관리하기 위한 계획 제출.

- **환경청 (State Pollution Control Board, SPCB) 허가**: 공장 운영 전 환경청의 허가 필요.

3) 건축 허가 (Building Plan Approval)

법적 근거: Local Municipal Corporation/Development Authority Regulations

필요 요건:

- **건축 계획 승인**: 현지 개발 당국 또는 지방 자치 단체에서 건축 계획 승인.
- **소방안전 허가**: 소방안전 규정을 충족하기 위한 소방안전 허가.
- **건축 완공 인증서**: 건축물 완공 후 지방 당국으로부터 인증서 취득.

4) 전력 연결 및 라이센스 (Power Connection and License)

법적 근거: Electricity Act, 2003

필요 요건:

- **전력 연결 신청**: 전력 공급 회사에 전력 연결 신청.
- **전력 소비 라이센스**: 고용량 전력 소비 시 별도의 라이센스 필요.

5) 물 사용 허가 (Water Usage License)

법적 근거: Water (Prevention and Control of Pollution) Act, 1974

필요 요건:

- **수자원 사용 허가**: 현지 수자원 관리 당국에서 물 사용 허가.
- **폐수 처리 시스템**: 공장 운영 시 발생하는 폐수 처리 시설 설치 및 운영.

6) 화학 물질 저장 및 사용 허가 (Hazardous Substance Storage and Handling License)

법적 근거: Hazardous Wastes (Management and Handling) Rules, 1989

필요 요건:

- **위험 물질 저장 허가**: 특정 위험 물질을 저장하고 사용하는 경우 허가 필요.
- **안전 관리 계획**: 위험 물질 취급 시 안전 관리 계획 제출.

7) 산업안전 및 건강 허가 (Industrial Safety and Health License)

법적 근거: Factories Act, 1948; Industrial Safety and Health

Regulations

필요 요건:

- **안전 검사:** 주 노동부 또는 산업안전청에서 정기적인 안전 검사.
- **안전 교육:** 직원들에게 정기적인 안전 교육 제공.

이 외에도 특정 산업 및 공장의 특성에 따라 추가적인 인허가가 필요할 수 있습니다. 인도에서 공장을 인수하거나 산업용 부동산을 운영하려면 해당 지역의 법률 및 규제를 철저히 준수하는 것이 중요합니다. 전문가의 도움을 받아 인허가 절차를 원활히 진행하는 것이 바람직합니다.

4. 회사 사무실용 부동산

(1)상업용 부동산 시장 현황

인도의 상업용 부동산 시장은 경제 성장과 함께 빠르게 발전하고 있습니다. 델리 NCR, 뭄바이, 벵갈루루, 첸나이 등 주요 도시들은 글로벌 비즈니스 허브로서, 상업용 부동산 수요가 꾸준히 증가하고 있습니다. 특히 델리 NCR 지역은 국제적인 기업들과 대기업들이 위치해 있어 상업용 부동산의 가격이 높게 형성되어 있습니다. 이 지역은 인도의 정치적, 경제적 중심지로, 많은 기업들이 본사와 지사를 두고 있습니다.

상업용 부동산은 사무실, 쇼핑몰, 호텔, 상가 등 다양한 형태로 구성되어 있습니다. 이들 부동산은 기업의 비즈니스 활동을 지원하는 중요한 인프라로, 효율적인 운영을 위해서는 적절한 위치와 시설이 필요합니다. 예를 들어, 뭄바이의 BKC(Bandra-Kurla Complex)는 주요 상업 지구로, 많은 글로벌 기업들의 본사가 위치해 있습니다. 이 지역은 금융, 상업, 서비스 산업의 중심지로서, 상업용 부동산 수요가 꾸준히 증가하고 있습니다.

(2)사무실 렌트 절차 및 주의사항

사무실을 렌트할 때는 다음과 같은 절차를 따라야 합니다. 첫 번째 단계는 시장 조사입니다. 이는 렌트하려는 사무실의 위치, 규모, 임대료 등을 파악하는 과정입니다. 이 과정에서는 현지 시장의 특성, 경쟁 상황, 인프라 등을 철저히 조사해야 합니다. 예를 들어, 벵갈루루의 경우, IT 기업들이 집중된 Whitefield와 Electronic City

지역의 사무실 수요와 임대료를 조사하는 것이 중요합니다.

다음 단계는 계약서 작성입니다. 계약서에는 임대 조건, 임대료, 지불 방법, 임대 기간 등이 포함됩니다. 이 과정에서는 법률 전문가의 조언을 받는 것이 중요합니다. 계약서 작성 시, 거래 조건을 명확히 하고, 양 당사자가 동의한 모든 조건을 문서화해야 합니다. 또한, 계약서에 명시된 조건이 법적으로 유효한지 확인하는 것도 중요합니다.

세 번째 단계는 시설 점검입니다. 이는 사무실의 상태, 시설, 안전 등을 확인하는 과정입니다. 이 과정에서는 사무실의 전기, 수도, 인터넷 등 기본 시설이 제대로 작동하는지 확인하고, 필요한 경우 수리나 보수를 요청해야 합니다. 예를 들어, 첸나이의 경우, 사무실의 인프라 상태와 주변 교통 접근성을 철저히 점검해야 합니다.

마지막 단계는 입주 및 운영 준비입니다. 이는 사무실의 인테리어, 가구 배치, IT 인프라 구축 등을 포함합니다. 이 과정에서는 사무실의 효율적인 운영을 위해 필요한 모든 준비를 마쳐야 합니다. 또한, 직원들의 편의와 업무 효율성을 고려하여 사무실 환경을 조성하는 것이 중요합니다.

(3)주요 비즈니스 지구 및 임대료 분석

각 주요 도시의 비즈니스 지구는 그 도시의 경제 활동과 산업 특성에 따라 다릅니다. 델리 NCR의 주요 비즈니스 지구로는 Connaught Place, Gurgaon, Noida가 있으며, 이 지역들은 국제적인 기업들과 대기업들이 위치해 있어 임대료가 높게 형성되어 있습니다. Connaught Place는 델리의 중심 비즈니스 지구로, 많은 글로벌 기업들의 본사가 위치해 있습니다.

뭄바이의 주요 비즈니스 지구로는 BKC(Bandra-Kurla Complex), Nariman Point, Lower Parel이 있으며, 이 지역들은 금융과 상업의 중심지로, 많은 글로벌 기업들의 본사가 위치해 있습니다. 임대료는 지역에 따라 다르며, BKC는 높은 임대료로 유명합니다. 이 지역은 인도의 금융 허브로, 많은 은행과 금융 기관들이 위치해 있습니다.

벵갈루루의 주요 비즈니스 지구로는 Whitefield, Electronic City, MG Road가 있으며, 이 지역들은 IT와 기술 산업의 중심지로, 많은 기술 기업들이 위치해 있습니다. 임대료는 지역에 따라 다르며, Whitefield와 Electronic City는 IT 기업들이 집중된 곳으로 비교적 높은 임대료를 자랑합니다. 이 지역은 인도의 실리콘밸리로 불리며, 많은 기술 인재들이 거주하고 있습니다.

(4)인프라 및 접근성 고려사항

사무실 선택 시 인프라와 접근성은 중요한 고려사항입니다. 인프라는 사무실의 전기, 수도, 인터넷 등 기본 시설의 상태를 의미하며, 이는 사무실의 효율적인 운영에 중요한 요소입니다. 예를 들어, 벵갈루루의 경우, IT 기업들이 집중된 지역의 인프라 상태를 철저히 점검해야 합니다.

또한, 사무실 주변의 교통 접근성도 중요합니다. 지하철, 버스, 도로 등 다양한 교통수단을 통해 쉽게 접근할 수 있는 위치가 좋은 사무실 선택의 기준이 됩니다. 예를 들어, 델리 NCR의 경우, 사무실의 위치가 주요 교통 허브와의 접근성이 좋을수록 임대료가 높게 형성됩니다. 직원들의 출퇴근 편의와 비즈니스 활동의 효율성을 고려하여 사무실의 위치를 선택하는 것이 중요합니다.

5. 개인 주거용 부동산

(1)주거용 부동산 시장 개요

인도의 주거용 부동산 시장은 급속한 도시화와 인구 증가로 인해 꾸준히 성장하고 있습니다. 델리 NCR, 뭄바이, 벵갈루루, 첸나이 등 주요 도시들은 주거 수요가 높아, 아파트, 빌라, 타운하우스 등 다양한 형태의 주거용 부동산이 활발히 거래되고 있습니다. 델리 NCR 지역은 고급 주거지와 중산층 주거지가 혼재되어 있어 다양한 수요를 충족시킵니다. 이 지역은 인도의 정치적, 경제적 중심지로, 많은 사람들이 거주하고 있습니다.

뭄바이는 인도의 금융과 상업의 중심지로, 많은 유명 인사들이 거주하는 고급 주거지가 위치해 있습니다. 예를 들어, Bandra, Juhu, Andheri 지역은 고급 주거지로 유명하며, 높은 임대료와 주택 가격을 자랑합니다. 이 지역들은 금융과 상업의 중심지로서, 많은 고소득층이 거주하고 있습니다.

벵갈루루는 IT와 기술 산업의 중심지로, 많은 기술 인재들이 거주하고 있습니다. Whitefield, Koramangala, Indiranagar 지역은 IT 기업들이 집중된 지역으로, 주거 수요가 높습니다. 이 지역은 인도의 실리콘밸리로 불리며, 많은 기술 인재들이 거주하고 있습니다.

첸나이는 남인도의 경제 중심지로, 특히 자동차 산업과 해운업이 발달해 있습니다. 첸나이의 주요 주거 지역으로는 Anna Nagar, Adyar, OMR(Old Mahabalipuram Road)이 있으며, 이 지역들은 중산층과 고급 주거지가 혼재되어 있습니다.

(2)주거지 렌트 절차 및 주의사항

주거지를 렌트할 때는 다음과 같은 절차를 따라야 합니다. 첫 번째 단계는 시장 조사입니다. 이는 렌트하려는 주거지의 위치, 규모, 임대료 등을 파악하는 과정입니다. 이 과정에서는 현지 시장의 특성, 주변 환경, 인프라 등을 철저히 조사해야 합니다. 예를 들어, 델리 NCR의 경우, 다양한 주거 형태와 가격대를 조사하여 적합한 주거지를 선택하는 것이 중요합니다.

다음 단계는 계약서 작성입니다. 계약서에는 임대 조건, 임대료, 지불 방법, 임대 기간 등이 포함됩니다. 이 과정에서는 법률 전문가의 조언을 받는 것이 중요합니다. 계약서 작성 시, 거래 조건을 명확히 하고, 양 당사자가 동의한 모든 조건을 문서화해야 합니다. 또한, 계약서에 명시된 조건이 법적으로 유효한지 확인하는 것도 중요합니다.

세 번째 단계는 시설 점검입니다. 이는 주거지의 상태, 시설, 안전 등을 확인하는 과정입니다. 이 과정에서는 주거지의 전기, 수도, 가스, 인터넷 등 기본 시설이 제대로 작동하는지 확인하고, 필요한 경우 수리나 보수를 요청해야 합니다. 예를 들어, 뭄바이의 경우, 고급 주거지의 인프라 상태와 주변 환경을 철저히 점검해야 합니다.

마지막 단계는 이사 및 정착 준비입니다. 이는 주거지의 인테리어, 가구 배치, 생활 필수품 준비 등을 포함합니다. 이 과정에서는 주거지의 편안한 생활을 위해 필요한 모든 준비를 마쳐야 합니다. 또한, 주거지 주변의 생활 편의시설과 교통 접근성을 고려하여 정착 준비를 하는 것이 중요합니다.

(3)인기 주거 지역 및 임대료 분석

각 주요 도시의 인기 주거 지역은 그 도시의 경제 활동과 생활 편의시설에 따라 다릅니다. 델리 NCR의 인기 주거 지역으로는 Gurgaon, Noida, South Delhi가 있으며, 이 지역들은 고급 주거지와 중산층 주거지가 혼재되어 있어 다양한 수요를 충족시킵니다. Gurgaon은 특히 IT와 서비스 산업의 중심지로, 많은 고소득층이 거주하고 있습니다.

뭄바이의 인기 주거 지역으로는 Bandra, Juhu, Andheri가 있으며, 이 지역들은 고급 주거지로 많은 유명 인사들이 거주하고 있습니다. 임대료는 지역에 따라 다르며, Bandra와 Juhu는 높은 임대료로 유명합니다. 이 지역들은 인도의 금융과 상업의 중심지로, 많은 고소득층이 거주하고 있습니다.

벵갈루루의 인기 주거 지역으로는 Whitefield, Koramangala, Indiranagar가 있으며, 이 지역들은 IT와 기술 산업의 중심지로, 많은 기술 인재들이 거주하고 있습니다. 임대료는 지역에 따라 다르며, Whitefield와 Koramangala는 비교적 높은 임대료를 자랑합니다. 이 지역들은 인도의 실리콘밸리로 불리며, 많은 기술 인재들이 거주하고 있습니다.

(4)지역별 생활 편의시설 및 교육 환경

주거지 선택 시 생활 편의시설과 교육 환경은 중요한 고려사항입니다. 생활 편의시설은 주거지 주변의 쇼핑몰, 병원, 공원, 레스토랑 등 기본적인 생활 편의시설의 상태를 의미합니다. 또한, 주거지 주변의 교육 환경도 중요한 요소입니다. 좋은 학교와 대학이 근처에 위치해 있으면 자녀 교육에 유리하며, 이는 주거지의 가치를 높이는 요소로 작용합니다.

예를 들어, 델리 NCR의 경우, Gurgaon과 Noida 지역은 국제 학교와 대학이 많이 위치해 있어 자녀 교육에 유리한 환경을 제공합니다. 또한, 이 지역들은 쇼핑몰, 병원, 공원 등 다양한 생활 편의시설을 갖추고 있어 편리한 생활 환경을 제공합니다.

뭄바이의 Bandra와 Juhu 지역은 고급 주거지로, 많은 유명 인사들이 거주하고 있으며, 다양한 고급 레스토랑과 쇼핑몰이 위치해 있습니다. 또한, 이 지역들은 좋은 학교와 대학이 많이 위치해 있어 자녀 교육에 유리한 환경을 제공합니다.

벵갈루루의 Whitefield와 Koramangala 지역은 IT와 기술 산업의 중심지로, 많은 기술 인재들이 거주하고 있으며, 다양한 생활 편의시설과 좋은 교육 환경을 제공합니다. 이 지역들은 인도의 실리콘밸리로 불리며, 많은 기술 인재들이 거주하고 있습니다.

6. 부동산 투자 전략

(1)인도 부동산 투자 기회

인도 부동산 시장은 다양한 투자 기회를 제공합니다. 주거용 부동산, 상업용 부동산, 산업용 부동산 등 각기 다른 부동산 형태는 투자자들에게 다양한 선택지를 제공합니다. 예를 들어, 델리 NCR 지역의 고급 주거지와 상업 지구는 높은 수익성을 자랑하며, 벵갈루루의 IT 클러스터는 기술 기업들의 높은 수요로 안정적인 임대 수익을 제공합니다.

부동산 투자는 장기적인 안목이 필요합니다. 인도의 경제 성장과 도시화는 부동산 시장의 지속적인 성장을 뒷받침하며, 이는 장기적인 투자 기회를 제공합니다. 투자자들은 시장 조사와 리스크 관리를 통해 안정적인 수익을 기대할 수 있습니다. 예를 들어, 첸나이의 자동차 산업 클러스터는 장기적인 산업 발전과 함께 안정적인 투자 기회를 제공합니다.

(2)리스크 관리 및 투자 전략

부동산 투자는 높은 수익성을 제공하지만, 동시에 리스크도 존재합니다. 따라서 철저한 리스크 관리가 필요합니다. 첫 번째로, 시장 조사를 통해 투자 대상 부동산의 위치, 수요, 가격 등을 철저히 분석해야 합니다. 이는 투자 결정의 기초가 됩니다. 예를 들어, 벵갈루루의 IT 클러스터에 투자할 때는 기술 산업의 성장 가능성과 수요를 철저히 분석해야 합니다.

다음으로, 법적 검토를 통해 투자 대상 부동산의 법적 상태를 확인해야 합니다. 이는 소유권 분쟁, 법적 규제 등의 문제를 예방하는 데 중요합니다. 예를 들어, 델리 NCR의 상업용 부동산에 투자할 때는 소유권과 관련된 법적 문제를 철저히 검토해야 합니다.

투자 전략은 각 투자자의 목표와 상황에 따라 다를 수 있습니다. 장기적인 투자 목표를 가진 투자자는 안정적인 임대 수익을 제공하는 부동산을 선택하고, 단기적인 투자 목표를 가진 투자자는 시세 차익을 기대할 수 있는 부동산을 선택할 수 있습니다. 이러한 전략적 접근은 투자 성과를 극대화하는 데 도움이 됩니다. 예를 들어, 뭄바이의 상업 지구에 투자할 때는 단기적인 시세 차익과 장기적인 임대 수익을 모두 고려한 전략을 세울 수 있습니다.

(3)성공적인 부동산 투자 사례

성공적인 부동산 투자 사례로는 글로벌 투자자들이 인도에 진출하여 높은 수익을 거둔 경우를 들 수 있습니다. 예를 들어, 글로벌 투자 펀드는 벵갈루루의 IT 클러스터에 투자하여 안정적인 임대 수익을 올리고 있습니다. 이는 철저한 시장 조사와 전략적 투자가 성공 요인으로 작용한 사례입니다.

또한, 델리 NCR 지역의 상업용 부동산에 투자한 사례도 성공적입니다. 한 다국적 기업은 델리 NCR 지역의 상업 지구에 대규모 오피스 빌딩을 건설하여, 높은 임대 수익과 시세 차익을 거두고 있습니다. 이는 철저한 법적 검토와 금융 계획이 성공 요인으로 작용한 사례입니다. 이 기업은 델리 NCR 지역의 경제 성장과 상업용 부동산 수요를 철저히 분석하고, 적절한 시기에 투자하여 높은 수익을 올렸습니다.

7. 인도 부동산관련 법률 및 규제

(1)인도의 부동산 관련 주요 법률

인도의 부동산 거래는 다양한 법률과 규제에 의해 관리됩니다. 주요 법률로는 RERA(Real Estate Regulatory Authority) 법안, Transfer of Property Act, Registration Act 등이 있으며, 이는 부동산 거래의 투명성과 신뢰성을 높이는 데 중요한 역할을 합니다. 예를 들어, RERA 법안은 부동산 개발자와 구매자 간의 권리와 의무를 명확히 규정하여, 분쟁 발생 시 신속한 해결을 도모합니다. 이 법안은 부동산 거래의 투명성을 높이고, 구매자의 권리를 보호하는 데 중요한 역할을 합니다.

(2)외국인 투자자 규제

인도 정부는 외국인 투자자에게 다양한 규제를 적용하고 있습니다. 외국인 투자자는 상업용 부동산에만 투자할 수 있으며, 주거용 부동산에는 투자할 수 없습니다. 또한, 외국인 투자자는 인도의 법적 절차와 세금 규제를 철저히 이해하고 따라야 합니다. 이러한 규제는 인도 부동산 시장의 투명성과 안정성을 높이는 데 중요한 역할을 합니다. 예를 들어, 외국인 투자자는 인도의 부동산 시장에 투자할 때, FDI(Foreign Direct Investment) 규정을 준수해야 합니다.

 # 인도 부동산에 대한 FDI 정책 및 가이드라인 요약

FDI 허용 범위

- **건설 개발 프로젝트**: 주택, 상업용 건물 등을 포함한 건설 개발 프로젝트에 최대 100%까지 외국인 직접 투자가 허용됩니다.
- **최소 자본화 요건**: 최초 투자금은 최소 자본화 완료 후 3 년 이전에는 송환할 수 없습니다.
- **조기 철수 조건**: 외국인투자진흥위원회(FIPB)의 승인을 통해 조기 철수가 가능합니다.
- **자금 유입 시기**: FDI 자금은 사업 개시 후 6 개월 이내에 인도에 유입되어야 합니다.

규제 프레임워크

- **인도 중앙은행(RBI)**: 인도 중앙은행은 부동산 부문에 대한 외국인 투자를 감독하고 규제합니다.
- **외국인 직접 투자 정책(FDI Policies)**: 인도 내 외국인 투자에 대한 가이드라인과 프레임워크를 제공합니다.
- **외환 관리 규정(Foreign Exchange Management Regulations)**: 인도 외 거주자에 의한 관련 거래를 촉진하고 모니터링하는 데 중요한 역할을 합니다.

주요 규정 및 요건

- **최소 면적**: 도시화 지역의 경우 최소 50,000 평방미터, 비도시화 지역의 경우 최소 10 헥타르의 개발이 필요합니다.
- **최소 투자금**: 최소 500 만 달러의 자본이 요구되며, 이는 투자 시작 후 6 개월 이내에 완전히 자본화되어야 합니다.

- **개발 완료 기한**: 프로젝트는 5 년 이내에 완료되어야 합니다.

자동 경로에 따른 투자

- 인도 기업은 인도 중앙은행(RBI)이 정한 한도 내에서 해외 합작투자(Joint Ventures, JV) 또는 완전 소유 자회사에 투자할 수 있습니다.
- 최대 10 억 달러까지의 금융 약정이 허용되며, 이는 인도 기업의 국제적인 확장을 지원하기 위함입니다.

(3)부동산 거래 시 법적 절차 및 필요 서류

부동산 거래 시 법적 절차와 필요 서류를 철저히 준비하는 것이 중요합니다. 첫 번째로, 토지 소유권을 확인하는 절차가 필요합니다. 이는 등기부 등본, 소유권 증명서 등을 통해 소유권의 명확성을 확인하는 과정입니다. 예를 들어, 델리 NCR의 경우, 소유권 확인 절차를 철저히 거쳐야 합니다.

다음으로, 계약서를 작성하여 거래 조건을 명확히 규정해야 합니다. 계약서에는 거래 조건, 가격, 지불 방법, 소유권 이전 절차 등이 포함됩니다. 이 과정에서는 법률 전문가의 조언을 받는 것이 중요합니다. 계약서 작성 시, 거래 조건을 명확히 하고, 양 당사자가 동의한 모든 조건을 문서화해야 합니다.

또한, 거래 과정에서 필요한 서류로는 토지 조사 보고서, 법적 검토서, 세금 납부 증명서 등이 있으며, 이를 철저히 준비하여 거래의 안전성을 확보해야 합니다. 이러한 절차를 통해 법적 문제를 예방하고, 안정적인 거래를 진행할 수 있습니다.

(4)분쟁 해결 및 중재 절차

부동산 거래 시 발생할 수 있는 분쟁을 해결하기 위해서는 중재 절차가 중요합니다. 인도에서는 부동산 거래와 관련된 분쟁을 해결하기 위해 다양한 중재 절차를 제공하고 있습니다. 주요 중재 기관으로는 Real Estate Regulatory Authority, National Consumer Disputes Redressal Commission 등이 있으며, 이들은 분쟁 발생 시 신속하고 공정한 해결을 도모합니다.

중재 절차를 통해 분쟁을 해결하기 위해서는 법적 조언을 받는 것이 중요합니다. 이는 분쟁의 원인과 해결 방안을 명확히 이해하고, 적절한 중재 절차를 통해 분쟁을 해결하는 데 도움이 됩니다. 예를 들어, 델리 NCR의 경우, RERA 법안을 통해 분쟁을 해결할 수 있습니다. RERA 법안은 부동산 거래의 투명성을 높이고, 구매자의 권리를 보호하는 데 중요한 역할을 합니다.

에필로그: 인도 비즈니스를 향한 성공적인 여정을 마무리하며

인도 비즈니스를 시작하려는 모든 분들께, 이 책을 통해 여러분이 새로운 여정에 필요한 도구와 지식을 얻었기를 바랍니다. 인도는 그 다채로운 문화, 빠르게 성장하는 경제, 그리고 무한한 가능성으로 가득 찬 나라입니다. 이 책이 여러분의 비즈니스 여정에 있어 든든한 동반자가 되기를 바랍니다.

인도 시장의 매력과 도전

인도는 세계에서 가장 역동적인 경제 중 하나로, 거대한 소비 시장과 성장 잠재력을 가지고 있습니다. 이러한 기회를 활용하려면 인도 시장을 깊이 이해하고, 문화적 차이를 존중하는 자세가 필요합니다. 인도의 각 지역은 독특한 문화를 가지고 있으며, 이를 이해하고 존중하는 것이 성공의 열쇠입니다.

문화적 이해와 존중

인도의 다채로운 문화는 사업 운영에 있어 다양한 관점과 접근 방식을 요구합니다. 이 책에서는 현지 시장 조사와 문화적 적응의 중요성을 강조했습니다. 인도의 다양한 지역과 문화를 이해하고, 그에 맞춘 전략을 수립하는 것이 중요합니다. 현지의 전문가와 협력하고, 지역사회와의 유대감을 형성하는 것이 성공적인 비즈니스의 밑거름이 될 것입니다.

"Unity in diversity"는 인도의 유명한 격언으로, 다양한 문화를 존중하고 조화롭게 공존하는 인도의 정신을 잘 나타냅니다. 이 격언은 비즈니스를 운영할 때도 중요한 교훈을 제공합니다. 다양한 배경의 직원들과 고객을 이해하고 존중하는 것이 성공의 열쇠입니다.

법적 준수와 신뢰 구축

인도의 법적 환경은 복잡하지만 이를 철저히 준수하는 것은 필수적입니다. 법률 전문가의 조언을 받고, 최신 법률과 규정을 지속적으로 파악하는 것이 중요합니다. 이는 신뢰를 구축하고, 장기적인 비즈니스 관계를 형성하는 데 큰 도움이 됩니다. 투명하고 윤리적인 경영은 기업의 이미지를 높이고, 고객과의 신뢰를 강화합니다.

강력한 재무 관리

안정적인 재무 관리는 모든 비즈니스의 성공에 필수적입니다. 자금 조달 방법을 다양하게 고려하고, 인도 정부의 지원과 인센티브를 최대한 활용해야 합니다. 철저한 세금 신고와 회계 관리는 법적 문제를 예방하고, 재무 투명성을 높이는 데 도움이 됩니다. 은행 계좌 개설과 자금 관리 절차를 철저히 이해하고 실행하는 것이 중요합니다.

고객 중심의 마케팅 전략

인도 시장에서 성공하기 위해서는 고객 중심의 마케팅 전략이 필요합니다. 디지털 마케팅, 소셜 미디어 마케팅, 콘텐츠 마케팅 등 다양한 채널을 통해 고객과의 접점을 확대해야 합니다. 고객의 피드백을 적극 반영하고, 고객 만족도를 높이기 위한 노력을 기울이는 것이 중요합니다. 효과적인 프로모션과 브랜드 인지도 제고 전략을 통해 경쟁력을 강화할 수 있습니다.

인재 관리와 직원 복지

우수한 인재를 채용하고 유지하는 것은 기업의 성공에 결정적인 역할을 합니다. 공정한 채용 절차와 경쟁력 있는 보상 패키지, 다양한 복지 혜택을 통해 직원 만족도를 높여야 합니다. 직원의 역량 강화를 위한 교육과 훈련 프로그램을 제공하고, 건강하고 안전한 근무 환경을 조성하는 것이 중요합니다. 직원의 행복은 곧 기업의 생산성과 연결되며, 이는 장기적인 비즈니스 성공으로 이어집니다.

지속 가능한 성장과 혁신

비즈니스는 끊임없이 변화하고 있습니다. 인도 시장에서도 지속 가능한 성장과 혁신을 추구해야 합니다. 새로운 기술과 트렌드를 지속적으로 파악하고, 이를 비즈니스에 적용하는 것이 중요합니다. 혁신적인 아이디어와 접근 방식을 통해 시장에서의 경쟁력을 유지하고, 지속 가능한 성장을 실현할 수 있습니다.

마무리하며

이 책을 통해 인도 시장에 대한 깊은 이해와 실천 가능한 전략을 얻으셨기를 바랍니다. 인도에서의 비즈니스 여정은 많은 도전과 기회를 제공할 것입니다. 이 안내서가 여러분의 성공적인 비즈니스 운영을 위한 든든한 나침반이 되기를 기대합니다. 여러분의 성공적인 비즈니스 여정이 인도와 한국 간의 경제 협력과 발전에 기여하기를 기대하며, 앞으로의 모든 비즈니스 활동이 번영과 성장을 이루시길 바랍니다.

"Success is not the key to happiness. Happiness is the key to success. If you love what you are doing, you will be successful." 라는 유명한 격언처럼, 여러분의 인도 비즈니스 여정이 여러분의 열정과 행복으로 가득하길 바랍니다. 인도에서의 성공적인 비즈니스 운영을 위해 이 안내서를 참고하여 지속적으로 학습하고, 전략을 발전시키시길 바랍니다. 인도에서의 비즈니스 여정이 여러분의 꿈과 열정으로 가득 채워지기를 바랍니다. 감사합니다.

주) 인도 비즈니스 관련 문의는 아래로 연락주시길 바랍니다.

- 이메일주소: Daniel.yibh@gmail.com
- 모바일/메신저(Whatsapp/Kakao): +91 73387 22811

인도 비즈니스 길라잡이, 인도 비지니스 성공을 위한 필수가이드

발 행 | 2024년 07월 05일
저 자 | Daniel Yi
펴낸이 | 한건희
펴낸곳 | 주식회사 부크크
출판사등록 | 2014.07.15.(제2014-16호)
주 소 | 서울특별시 금천구 가산디지털1로 119 SK트윈타워 A동 305호
전 화 | 1670-8316
이메일 | info@bookk.co.kr

ISBN | 979-11-410-9344-0

www.bookk.co.kr